LA SANTÉ

au supermarché

Céline Trégan

LA SANTÉ
au supermarché

Comment faire les bons choix et économiser

les éditions
cardinal

Trégan, Céline
La santé au supermarché
Comment faire les bons choix et économiser

Révision : Sara Dufour
Conception graphique et mise en page : Luc Sauvé
Design des couvertures : natalicommunication design
Photographie de la page couverture : Photos Cardinal
Photographies des plats cuisinés : Photos Cardinal
Photographies des aliments crus : Julie Léger
Des photos venant de banques ont aussi été utilisées

Nous reconnaissons avoir reçu l'aide financière du gouvernement du Canada par l'entremise du Fonds du livre du Canada (FLC), ainsi que l'aide du gouvernement du Québec – Programme de crédits d'impôts pour l'édition de livres et Programme d'aide à l'édition et à la promotion – Gestion SODEC.

ISBN : 978-2-920943-83-4
Dépôt légal – Bibliothèque et Archives Canada, 2011
Bibliothèque et Archives du Québec, 2011

Distributeurs exclusifs :

Pour le Canada et les Etats-Unis :
MESSAGERIES ADP
2315, rue de la Province
Longueuil, Québec J4G 1G4
Téléphone : 450 640 1237
Télécopieur : 450 674 6237
Internet : www.messageries-adp.com

Pour la France et les autres pays :
INTERFORUM editis
Immeuble Paryseine, 3, Allée de la Seine
94854 Ivry CEDEX
Téléphone : 33 (0) 1 49 11 56/91
Télécopieur : 33 (0) 1 49 59 11 33
Service commandes France Métropolitaine
téléphone : 33 (0) 2 38 32 71 00
télécopieur : 33 (0) 2 38 32 71 28
Internet : www.interforum.fr
Service commande Export – DOM-TOM
télécopieur : 33 (0) 2 38 32 78 86
Internet : www.interforum.fr
Courriel : cdes-export@interforum.fr

Pour la Suisse :
INTERFORUM editis SUISSE
case postale 69 – CH 1701 Fribourg – Suisse
Téléphone : 41 (0) 26 460 80 60
Télécopieur : 41 (0) 26 460 80 68
Internet : www.interforumsuisse.ch
Courriel : office@interforumsuisse.ch
Distributeur : OLF S.A.
ZI. 3, Corminboeuf
Case postale 1061 – CH 1701 Fribourg – Suisse
Commandes :
Téléphone : 41 (0) 26 467 53 33
Télécopieur : 41 (0) 26 467 54 66
Internet : www.olf.ch
Courriel : information@olf.ch

Pour la Belgique et le Luxembourg :
INTERFORUM BENELUX S.A.
Fond Jean-Pâques, 6
B-1348 Louvain-La-Neuve
Téléphone : 32 (0) 10 42 03 20
Télécopieur : 32 (0) 10 41 20 24
Internet : www.interforum.be
Courriel : info@interforum.be

Imprimé au Canada

TABLE DES MATIÈRES

COMMENT UTILISER

La santé au supermarché

Quand vous allez à l'épicerie, vous souhaitez acheter des aliments sains pour tous les membres de votre famille, gagner du temps et en avoir pour votre argent, mais c'est souvent le contraire qui arrive. Vous achetez des aliments parfois mauvais pour votre tour de taille, vous avez perdu votre précieux temps et vous avez gaspillé votre argent en denrées parfois trop riches en gras, en sucre et en sel. Ce n'est pourtant pas l'information qui manque, mais l'organisation et la stratégie qui font plutôt défaut. Le guide que nous vous proposons vous aidera à réaliser vos objectifs santé et plus encore.

Nous vous donnerons des trucs et des conseils pour faire les meilleurs choix santé au bon moment. Vous apprendrez à mieux gérer ce qu'il y a dans votre réfrigérateur et votre garde-manger et quoi faire pour économiser. Nous vous indiquerons les ingrédients «essentiels» à conserver dans un garde-manger bien équipé.

Grâce à *La santé au supermarché*, vous saurez comment mieux acheter et conserver vos denrées alimentaires et les produits n'auront plus de secrets pour vous, vous lirez les étiquettes comme un pro en un clin d'œil.

La santé au supermarché vous aidera à mieux faire votre épicerie, jour après jour, semaine après semaine, à profiter des aubaines saisonnières, à garnir efficacement et sans perte votre réfrigérateur, votre congélateur et votre garde-manger, à mieux planifier vos repas, vos lunchs et vos collations et finalement à être en meilleure santé. Vous n'aurez jamais fait un meilleur investissement!

DE LA BOUTIQUE
de l'apothicaire au supermarché d'aujourd'hui

De nos jours, quand nous allons à l'épicerie, nous ne mesurons pas à quel point cette dernière a évolué depuis le Moyen-Âge. En ces temps reculés, pour devenir Maître épicier, il fallait avoir fait un long apprentissage, un stage comme compagnon, payer des droits et créer un chef d'œuvre. Au début, les échoppes étaient rares et l'épicier courait les rues, vendant ses denrées aux passants et frappant aux portes des ménagères.

« Qui est épicier n'est pas apothicaire et qui est apothicaire est épicier », disait-on fort à propos à l'époque. Pendant deux cents ans, l'histoire des épiciers s'est confondue avec celle des apothicaires, sans cordon sanitaire entre la gastronomie et la thérapeutique. En 1514, à la faveur d'une ordonnance du roi de France, les *espiciers simples*, c'est-à-dire les marchands de « bougie, de saulces et d'huile », obtiennent cependant une existence à part[1].

Les épiciers transforment peu à peu leur négoce en spéculant, dès le XVIIe siècle, sur la commodité que trouverait l'acheteur à faire ses achats dans un même magasin. Dès le XVIIIe siècle, ils se rattachent aux droguistes, bien qu'ils ne puissent manipuler les drogues. Ils se mettent donc à vendre de la cannelle, de l'eau forte et de l'huile, du fromage, de

---

1. Au Moyen-Âge, la cire et le sucre étaient considérés comme des produits nobles et leur vente entrait dans le monopole des épiciers et des apothicaires.

l'eau de vie et des couleurs, du sucre et de l'arsenic, des confitures et du séné [2]. L'épicier droguiste avait alors le droit incontestable de purger tout un quartier et de lui donner son dessert par-dessus le marché! Pendant longtemps, la frontière entre l'épicerie et la pharmacie demeure floue. Ce n'est qu'au début du XIXe siècle que les deux pratiques se séparent définitivement.

Les premiers supermarchés se développent aux États-Unis dès 1930. À l'époque, une épicerie ne proposait que quelque 2 000 articles différents, alors qu'aujourd'hui, un supermarché en propose plus de 25 000. La route était parfois longue entre le magasin général, où les produits de proximité se vendaient en vrac et où la diversité était la plupart du temps saisonnière, et le supermarché dans lequel on trouve des aliments produits aux quatre coins de la planète et disponibles à longueur d'année.

L'alimentation est désormais devenue une priorité pour nous, consommateurs de plus en plus préoccupés par notre santé et désirant acheter des produits sains chez un détaillant en qui nous avons confiance. Nous connaissons les avantages à consommer des fruits, des légumes, du poisson, de la viande et même du chocolat, avec modération. Nous voyons de plus en plus des aliments fonctionnels se retrouver dans nos assiettes et trouvons difficile, parmi tous les produits qui s'offrent à nous, de faire des choix judicieux.

FAVORISER L'AGRICULTURE DE PROXIMITÉ

Les fruits et légumes que nous vous proposons dans le guide *La santé au supermarché* sont issus de l'agriculture de proximité qui limite le transport intensif des denrées contribuant aux émissions de gaz à effet de serre, l'utilisation massive de fertilisants, pesticides et d'herbicides, l'entreposage coûteux, le suremballage et l'emploi d'additifs alimentaires. Elle est plus avantageuse sur les plans social, économique et environnemental, contribue à revitaliser les régions rurales et assure l'accès à des aliments plus frais et plus sains pour tous. L'approvisionnement à l'échelle locale permet de réduire le *food miles* [3] et de garder un certain contrôle sur la qualité et la variété des produits cultivés.

Compte tenu de notre climat et si nous voulons de la variété dans notre assiette, il ne nous est pas toujours possible de seulement s'en tenir à une agriculture de proximité. Les supermarchés nous offrent une grande diversité, saison après saison. À nous d'en profiter!

---

2. Plante médicinale utilisée comme laxatif.

3. Distance parcourue par un aliment du producteur au consommateur.

METTRE LE MEILLEUR
dans son panier d'épicerie
tous les jours

Crêpes de sarrasin *p. 25*

Quesadillas au poulet *p.27*

TRUCS ET ASTUCES POUR MAXIMISER L'ÉPICERIE

Planifier les repas à la semaine :

- Rechercher des recettes économiques et faciles à réaliser ;

- Noter des idées de menus pour la semaine qui suit ;

- Consulter les menus de la semaine précédente pour ne pas refaire les mêmes plats ;

- S'assurer d'inclure les déjeuners, les dîners, les collations et les soupers ;

- Prendre en compte l'agenda des sorties prévues et l'agenda professionnel pour adapter les menus, éventuellement penser à se faire plaisir ou à faire plus simple si une journée difficile est prévue.

Choses à faire avant de se rendre à l'épicerie :

- Ne jamais aller à l'épicerie l'estomac vide. C'est la pire chose à faire pour acheter plein de choses et se créer de faux besoins. Tout semble bon, mais on oublie qu'une fois à la maison, il faudra les apprêter ;

- Établir le budget alloué à l'épicerie ;

- On peut consulter le site Internet (ou la circulaire) du supermarché pour ses promotions et faire ainsi des économies appréciables ;

- Faire l'inventaire du réfrigérateur, du garde-manger et du congélateur ;

- Faire la liste d'épicerie en fonction du menu de la semaine tout en pensant d'y inclure des fruits et des légumes en quantité suffisante (plus les aliments sont frais, plus il faut les préparer tôt dans la semaine) ;

- Selon les saisons, le prix des fruits et des légumes varie beaucoup. L'hiver, il est préférable de les acheter plus économiques, congelés ou en conserve. En été, il faut plutôt miser sur les légumes et les fruits frais et locaux qui sont en abondance et profiter de cette période pour faire des réserves au congélateur pour l'hiver ;

- Imprimer la liste des courses correspondant aux repas planifiés et ne pas en déroger une fois rendu à l'épicerie pour ne pas dépasser son budget;

- Prévoir des sacs isothermes pour la viande et les produits fragiles.

À l'épicerie :

- Acheter seulement les articles inscrits sur la liste d'épicerie;

- Comparer le prix entre les formats et les marques disponibles. Les marques maison sont souvent moins coûteuses;

- Porter une attention particulière aux aliments qui ne sont pas à portée de main, car ils sont parfois moins chers;

- Surveiller les rabais surprises. Certaines offres ne sont affichées qu'en magasin. Vérifier la date d'expiration sur l'emballage de chaque produit et choisir systématiquement la plus éloignée;

- Lire les étiquettes. On vérifie la date d'expiration sur l'emballage de chaque produit et on choisit systématiquement la plus éloignée, ce qui donne une plus grande marge de manœuvre pour prioriser ce qu'on doit cuisiner. Vérifier également que la viande porte la mention « décongelée » ou « viande fraîche et décongelée » : si on l'achète, on ne pourra pas la congeler de nouveau. Il faudra donc la consommer rapidement. Après avoir été cuite (dans une sauce à spaghetti, par exemple), la viande pourra toutefois être congelée sans problème;

- Éviter les plats cuisinés tout prêts, coûteux, souvent trop riches en gras, trop salés et ne contenant pas assez d'éléments essentiels pour une bonne nutrition. Une recette maison est généralement plus économique et on choisit scrupuleusement tous les ingrédients;

- Regrouper les aliments sur la liste en fonction de la disposition des articles en magasin pour éviter les oublis et les allers-retours inutiles : les fruits et les légumes frais ensemble, les pains, la viande, les conserves, les produits laitiers, les surgelés, etc.;

- Pour garder sa bonne humeur et faire l'épicerie de façon efficace, il vaut mieux fuir l'heure précédant les repas ainsi que les après-midi de fin de semaine. Il est donc préférable, si votre horaire vous le permet, d'y aller tôt le matin la fin de semaine ou encore un jour de semaine;

- Prévoir entre 45 minutes à 60 minutes pour faire l'épicerie ; moins on prend de temps, plus on fait d'économies.

De retour à la maison :

- Entreposer les fruits et les légumes au bon endroit;

- Rentabiliser les légumes ou les fruits flétris (soupes, potages, salades de fruits ou compotes);

- Pour susciter la consommation de fruits et de légumes chez les enfants, les préparer à l'avance et les mettre à leur vue;

- Rentabiliser les restes en les utilisant dans les lunchs ou en complément d'un autre repas dans la semaine.

CHAQUE ALIMENT À SA PLACE !

- Mettre au réfrigérateur les produits frais et congeler les surgelés. On met également au congélateur les produits qu'on prévoit utiliser plus tard dans la semaine : la viande hachée, le poulet et le poisson, par exemple, ne se conservent pas longtemps au réfrigérateur (à moins d'être emballés sous vide). Le pain garde aussi très bien sa fraîcheur au congélateur.

- Au fond de la tablette au bas du réfrigérateur, soit la zone la plus froide, placer les viandes et les poissons crus pour une meilleure conservation. Mettre dans des assiettes pour éviter que le sang ou l'eau ne dégoutte sur les autres aliments. Ne pas laisser trop longtemps au réfrigérateur. Placer aussi les lunchs préparés et mis dans une boîte à lunch en tissu. Il suffira de rajouter un bloc réfrigérant au moment du départ.

- Au centre et dans les tiroirs, ranger les aliments déjà cuits, les plats cuisinés, les produits laitiers et les œufs.

- On met les fruits dans un bac et les légumes dans l'autre. Les légumes se conservent mieux dans un milieu humide. Les fruits nécessitent moins d'humidité ; les sortir de leur sac ou de leur emballage avant de les ranger ou les ouvrir pour favoriser la circulation d'air. Laver fruits et légumes au fur et à mesure qu'on les consomme, évitant ainsi la possibilité de condensation ou d'humidité qui entraîne le pourrissement. Vérifier qu'un fruit gâté ne contamine pas tous les autres.

- On encombre notre réfrigérateur de produits doublons. Si on achète un pot de moutarde et qu'à notre retour de l'épicerie, on retrouve celui déjà entamé dans les méandres de notre réfrigérateur, on place le pot neuf et non ouvert dans notre garde-manger.

Maximiser son panier d'épicerie

+ En planifiant ses repas

+ En établissant son budget alloué à l'épicerie

+ En faisant une liste en fonction du menu établi

+ En faisant l'inventaire du garde-manger, du réfrigérateur et du congélateur

+ En achetant selon les saisons

+ En comparant les prix

+ En cuisinant, préparant, entreposant, congelant les aliments rapidement.

TOP 10 DES « DÉPANNEURS » DE BASE DANS LE RÉFRIGÉRATEUR

Voici des aliments de base à avoir en tout temps pour ne pas être pris au dépourvu.

1. Œufs

Excellente source de protéines, les œufs fournissent un très bon rapport qualité-prix en plus d'être très polyvalents. En omelette, quiche, frittata ou garniture à sandwich, l'œuf devient facilement un repas complet.

2. Fromage

Ingrédient de base d'une cuisine santé, diversifiée et rapide. Vive les gratins !

3. Yaourt nature

Il peut devenir trempette, vinaigrette, sauce froide, collation ou marinade si on l'assaisonne de fines herbes, de moutarde, d'ail, de tapenade, de pesto ou de purée de fruits. Préférer le yaourt nature à 2 % de matières grasses : plus doux au goût, il saura plaire à toute la famille.

4. Moutarde et pesto

Moutarde de Dijon et de Meaux, moutardes aromatisées, pesto au basilic, aux noix ou aux tomates séchées, autant d'assaisonnements qui transforment salades, sauces et vinaigrettes.

5. Tofu

Bonne source de fer, nutritif et économique, il se compare avantageusement à la viande. Rechercher celui qui est fait de sulfate de calcium pour un apport important en calcium. D'origine végétale, le tofu ne renferme aucun cholestérol et les gras qu'il contient ne sont que des bons. Il est aussi une excellente source de protéines : 3 ½ oz (100 g) de tofu ferme contient deux fois plus de protéines que 1 tasse (250 ml) de lait.

6. Fromage de chèvre mou

Avec sa texture crémeuse (généralement moins de 20 % de gras), il garnit délicieusement la croûte à pizza, les filets de poisson et les escalopes de viande tout en apportant un extra de protéines et de calcium.

7. Poivrons rouges rôtis

Ils ajoutent des nutriments tels que les fibres, vitamine C et autres antioxydants, mais aussi de la couleur et du goût à une pizza, un sandwich, un macaroni ou du pain grillé.

8. Hummus ou tartinade de tofu

Pour ajouter à notre table un produit faible en gras et riche en fibres, c'est un excellent choix. On l'étend simplement sur du bon pain à grains entiers avec quelques crudités ou des germinations (luzerne, germes de haricots, etc.).

9. Laitue préparée : mesclun, cresson ou mâche

Riches en folate et en fer, on ajoute ces verdures foncées à une soupe ou un plat de riz pour un extra de couleur et de nutriments.

10. Salsa

À seulement 15 calories pour 2 c. à soupe (30 ml), elle fait une sauce minceur pour les grillades et le poisson.

TOP 10 DES « DÉPANNEURS » DE BASE DANS LE CONGÉLATEUR

En gardant au congélateur des aliments comme des poitrines de poulet, des filets de poisson, de la viande hachée, du jus concentré, des noix, du pain, du yaourt glacé, des fruits et des légumes, les menus variés et les idées de repas santé express seront plus facilement au rendez-vous.

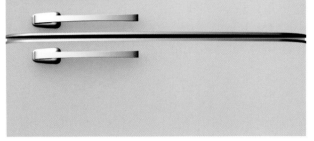

1. Pain de blé entier, muffins anglais, tortillas, croûte de pizza à grains entiers pour les lunchs, pitas, pizzas, quesadillas, burritos pour les sandwichs roulés.

2. Crêpes et muffins à grains entiers préparés à la maison, à déguster pour déjeuner ou en collation, accompagnés de fruits frais.

3. Légumes et petits fruits surgelés : petits pois, maïs, haricots verts, pour préparer certains plats et potages de belle qualité en un tournemain. Fraises, framboises, bleuets, etc., pour préparer de fantastiques desserts, des smoothies à base de lait de soja.

4. Fromage râpé : pour tous les gratins, pizzas maison, recettes rapides.

5. Bœuf haché maigre et cuit. Une grosse chaudronnée de viande hachée cuite divisée en plusieurs portions pourra servir à la préparation d'un chili, d'une sauce à spaghetti, de burritos aux haricots, de cigares au chou ou de samossas.

6. Poissons et fruits de mer surgelés : saumon, crevettes, sole, morue, saumon fumé, etc., sont rapides à cuisiner.

7. Noix : on peut les conserver dans un contenant hermétique, au réfrigérateur ou encore au congélateur. Au réfrigérateur, les noix se conservent environ neuf mois, alors qu'au congélateur, elles se conservent jusqu'à deux ans.

8. Bananes trop mûres : les congeler écrasées dans des pots en quantités précises afin de les intégrer à vos recettes favorites (muffins, smoothies, etc.).

9. Un poulet entier coupé en portions est moins cher que l'achat de morceaux individuels. On peut découper le poulet cuit et congeler les pièces pour les intégrer ultérieurement à la préparation des salades et des pâtes.

10. Bouillon de poulet maison : le goût est meilleur que les versions achetées en magasin et contient moins de sel. On le congèle dans un bac à glaçons, qu'on dépose dans un sac de congélation, ce qui en facilite l'utilisation.

TABLEAU DE DURÉE DE CONGÉLATION

Aliments	Durée de congélation maximale
Les restes, soit la viande et les légumes : congeler immédiatement les restes ainsi que les mets mijotés, les soupes et les sauces fraîchement préparées. Ne pas laisser refroidir les aliments sur le comptoir car leur salubrité risque d'être corrompue.	De 2 à 3 mois
Soupes	4 mois
La plupart des fruits et légumes, sauf les pommes de terre, la laitue, les radis, les oignons verts, le céleri et les tomates.	12 mois
Pains	2 mois
Lait	6 semaines
Viande hachée	De 2 à 3 mois
Bœuf, rôti ou bifteck	De 10 à 12 mois
Morceaux de poulet	6 mois
Poisson gras (saumon)	2 mois

Température idéale pour la congélation 0 ºF (-18 ºC)

CONSEILS DE CONGÉLATION

Pour déguster des aliments congelés ayant bon goût et ne présentant aucun danger pour la santé, appliquer les conseils suivants :

1. **Faire refroidir d'abord, congeler ensuite.** Il faut faire refroidir rapidement au réfrigérateur les aliments cuits en les mettant dans des contenants peu profonds.

2. **Éviter les brûlures de congélation.** Utiliser du papier d'aluminium épais, des sacs de congélation ou des contenants conçus pour la congélation des aliments. Prévoir un espace de quelques centimètres pour permettre l'expansion des liquides. Expulser l'air des sacs de congélation avant de les sceller ou emballer serré les aliments dans du papier d'aluminium.

3. **Diviser les grosses chaudronnées.** Congeler un maximum de 4 à 6 portions dans un même sac ou contenant, inscrire une date limite de consommation.

4. **Congeler adéquatement à 0 ºF (-18 ºC).** Utiliser un thermomètre pour vérifier la température. Laisser un peu d'espace entre les contenants pour permettre la circulation de l'air frais. Éviter de surcharger le congélateur.

5. **Premier congelé, premier décongelé.** Consommer d'abord les aliments congelés depuis le plus longtemps.

Petits trucs

✔ Congeler les légumes dans les sachets de plastique alimentaire pour ensuite les décongeler en les plongeant directement dans l'eau bouillante.

✔ Congeler pommes et poires coupées en morceaux et plongées auparavant pendant quelques minutes dans un sirop de sucre obtenu en portant à ébullition 4 tasses (1 litre) d'eau et 1,6 tasse (400 g) de sucre. Laisser refroidir au réfrigérateur.

✔ Pour congeler des petits fruits, les étaler sur une plaque métallique en une seule rangée pendant 60 minutes jusqu'à congélation et les emballer ensuite dans un sac à congélation en enlevant un maximum d'air.

✔ Congeler les framboises et les fraises sous forme de coulis : 3 tasses (750 ml) de fruits; ⅓ tasse (80 ml) de sucre et le jus d'un citron pressé. Mélanger au robot culinaire. Dans un bac à glaçon, congeler le coulis et mettre ensuite dans un sac de congélation.

✔ L'emballage de l'aliment doit être hermétique afin de protéger son contenu du froid, et éviter ainsi le dépôt d'une couche de givre à sa surface.

✔ Pour protéger vos produits, les sacs de congélation disponibles sur le marché conviennent parfaitement, le papier d'aluminium et les boîtes de plastique hermétique aussi.

✔ Étiqueter les produits en prenant soin de préciser la nature, le poids et la date de congélation pour éviter de fouiller de longues minutes dans votre congélateur !

LAVER LE RÉFRIGÉRATEUR AVANT DE FAIRE SES COURSES

- Un réfrigérateur doit être nettoyé, le mieux est tous les 15 jours pour conserver correctement vos aliments.

- L'idéal est de le nettoyer quand il commence à être vide. Faire un tri et enlever les vieux restes, les légumes fanés avec lesquels on peut faire une soupe, et les fruits flétris coupés en tranches minces et posés sur un plat de métal à 210 °F (100 °C) pendant 4 à 6 heures.

- On prépare sa liste de courses au même moment. Prévoir une glacière pour les aliments à risque pour ne pas perdre ce qui est encore comestible.

- Le nettoyage se fait du haut vers le bas pour ne pas salir les grilles. Il n'est pas recommandé de laver l'intérieur du réfrigérateur avec des produits ménagers car ils peuvent être toxiques. Laver les tablettes et tiroirs à l'aide d'un mélange d'eau chaude et de détergent doux tel que le liquide à vaisselle ou encore un mélange de vinaigre, d'alcool et d'eau. Si les pièces sont trop collantes, les frotter avec une brosse à dents usagée. Laver les parois intérieures, les sections pour le beurre et les bouteilles et terminer par l'extérieur.

Petits trucs
- ✔ Garder les aliments suivants à la température ambiante jusqu'à ce qu'ils soient mûrs : l'abricot, l'avocat, le kiwi, la mangue, le melon, la nectarine, la papaye, la pêche, la poire, la prune, la tomate, la banane et la cerise.

- ✔ Les légumes crus denses tels que les pommes de terre et oignons s'entreposent très bien dans une cave ou une chambre froide. La citrouille, le rutabaga, la patate douce, l'ail et la courge d'hiver se conservent à température ambiante.

- ✔ Les pommes se conservent quelques semaines au réfrigérateur. Les placer dans le bac à fruits ou dans un sac perforé. Pour conserver des pommes plus longtemps, les mettre dans un endroit obscur, très frais (0 à 4 °C) et très humide (85 à 90 %).

- ✔ L'orange peut être conservée à la température de la pièce environ 1 semaine. Pour une conservation prolongée, la placer au réfrigérateur. Le jus et le zeste se congèlent. Il faut rincer la peau des oranges si l'on prévoit utiliser le zeste.

- ✔ Besoin de quelques gouttes de citron ? Le piquer avec une grosse aiguille plutôt que de le couper, il se conservera plus longtemps.

BON À SAVOIR

Il est recommandé de régler la température de votre réfrigérateur à +4 °C maximum. C'est entre 0 et +4 °C que les aliments se conservent le mieux. Cette température permet de ralentir considérablement la croissance des micro-organismes.

LE GARDE-MANGER

- Faire le ménage du garde-manger s'avère un exercice obligatoire.

- Tous les produits périmés doivent être jetés, même les conserves qui ne sont plus de la première fraîcheur.

- On se débarrasse de tout ce qui n'a pas servi au cours de la dernière année : vinaigres, marinades, épices, chapelures, etc.

TOP 10 DES « DÉPANNEURS » DANS LE GARDE-MANGER

On fait le plein de provisions santé : légumineuses, riz brun, couscous, tomates en conserve, jus de légumes, fruits en conserve dans un sirop léger, compotes sans sucre, poissons en conserve, pâtes alimentaires à grains entiers, huile d'olive, de canola (colza), de pépins de raisin, de bouillon de poulet commercial à base de poulet, de bœuf ou de légumes, sans oublier les oignons, l'ail, les vinaigres. Compléter avec des légumes et des fruits frais de saison choisis en fonction des recettes de boîtes à lunch et de collations à préparer.

1. Pâtes alimentaires : macaroni, spaghetti, lasagne, fettuccini, etc. Les versions à grains entiers sont plus riches en fibres et en minéraux et sont surtout plus nourrissantes et goûteuses.

2. Tomates ou sauce aux tomates en conserve : elles sont incontournables dans les soupes, sauces à spaghetti, chilis et autres plats en casserole. Vérifier leur teneur en sodium qui varie énormément selon le fabricant. Les tomates italiennes en conserve ne contiennent pas de chlorure de calcium qui, en Amérique du Nord, sert à maintenir la dureté cellulaire des tomates.

3. Thon, saumon et sardines en conserve : riche en protéines et rempli d'éléments nutritifs, le poisson en conserve est un incontournable du garde-manger et un bon moyen de varier l'alimentation en fournissant des éléments essentiels à l'organisme. Préférer les poissons conservés dans l'eau plutôt que dans l'huile pour diminuer l'apport en gras et en calories. Le thon pâle contient deux fois moins de mercure que le thon blanc. Les sardines en conserve peuvent être dans de l'eau, du bouillon, de l'huile ou dans une sauce aux tomates. Le fait de rincer les sardines en conserve avant leur consommation peut diminuer quelque peu leur teneur en sodium.

4. Légumineuses en conserve : elles sont championnes de la teneur en fibres, en protéines et en minéraux. Pour diminuer leur teneur en sel, il suffit de les rincer à grande eau avant

de les utiliser. Elles représentent une excellente source d'énergie, sont faibles en gras et ne contiennent pas de cholestérol ni de gras saturé.

5. Les noix et les fruits séchés servent à mettre un extra de protéines et de fibres ainsi qu'une touche de croquant dans la salade, les pâtes ou les sandwichs.

6. Tortillas ou pitas à grains entiers : huilés et grillés, ils font d'excellents croûtons ou croustilles riches en fibres et en antioxydants.

7. Sirop d'érable : il est délicieux pour les crêpes et les gaufres et ajoute une touche spéciale dans le yaourt nature, les vinaigrettes, les sauces, pour glacer le jambon ou les filets de viande, etc.

8. Céréales : flocons d'avoine, boulghour, quinoa, orge mondé, millet et céréales à grains entiers.

9. Farines de blé entier, farine non blanchie et de sarrasin : la farine de blé entier offre une très bonne quantité de fibres alimentaires. La farine non blanchie n'est pas blanchie artificiellement et ne contient aucun additif alimentaire. La farine de sarrasin est hautement nutritive, riche en fibres solubles et en composés antioxydants.

10. Les beurres d'arachide, d'amande, de cajou, de tournesol font de bons déjeuners nutritifs.

Petits trucs

✔ Les contenants hermétiques sont choisis intelligemment selon la grandeur dont vous avez besoin pour une meilleure visibilité des produits dans le garde-manger. Choisir des contenants en plastique transparent. Les étiquettes sont de mise.

✔ L'huile d'olive se conserve loin d'une source de chaleur ou de lumière, dans une bouteille opaque, à la température de la pièce.

✔ Si des craquelins ont pris l'humidité, les utiliser pour remplacer la chapelure dans vos recettes.

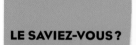

LE SAVIEZ-VOUS ? Peu coûteuses et bonnes pour la santé du cœur et des artères, les légumineuses en conserve sont une excellente source d'énergie, de fibres, de protéines et de minéraux. Faciles à préparer en salade (on n'a qu'à les rincer), dans les soupes, dans divers plats ou à mettre dans les lunches, elles gagnent à être mieux connues !

CRÊPES
de sarrasin

INGRÉDIENTS

2 tasses (500 ml) farine de sarrasin
2 tasses (500 ml) eau
2 tasses (500 ml) lait
3 œufs
½ c. à thé (2.5 ml) sel
3 c. à soupe (45 ml) beurre, fondu

ÉTAPES

■ Verser les ingrédients secs dans un grand bol et mélanger avec une cuillère de bois en incorporant l'eau, le lait, les œufs, le sel et le beurre fondu jusqu'à l'obtention d'une pâte très lisse et coulante et laisser reposer au réfrigérateur pendant 1 à 2 heures couvert d'une pellicule plastique de sorte qu'elle touche la surface de la pâte. Amener la pâte à température ambiante avant de l'utiliser.

■ Verser une louche de pâte dans un poêlon chaud et attendre que la galette se colore pour la retourner à l'aide d'une spatule. La laisser cuire environ 1 minute. On peut mettre moins de pâte pour réaliser une crêpe plus fine. Servir avec une garniture sucrée (pommes caramélisées, sirop d'érable) ou salée (jambon/gruyère/champignons, ou mozzarella/bacon ou encore bacon/champignon/gorgonzola etc.).

MUFFINS
aux bananes

INGRÉDIENTS

2 tasses (500 ml) farine non
  blanchie (ou 1 tasse – 250 ml
  de farine non blanchie et
  1 tasse – 250 ml de farine de
  blé entier)
1 tasse (250 ml) sucre
2 c. à thé (10 ml)
  poudre à pâte
1 c. à thé (5 ml) bicarbonate de
  soude
½ c. à thé (2.5 ml) sel
1 œuf
½ tasse (125 ml) huile de
  canola (colza)
½ tasse (125 ml) lait ou
  yaourt nature
1 tasse (250 ml) bananes
  mûres, en purée (2 grosses
  ou 3 petites bananes)

ÉTAPES

- Graisser les cavités des moules à muffins.
  Préchauffer le four à 375 °F (190 °C). Mélanger
  les ingrédients secs dans un grand bol et creuser
  un puits au centre. Battre l'œuf dans un autre bol.
  Ajouter l'huile, le lait ou le yaourt, la banane et
  bien crémer le mélange. Verser le mélange
  d'ingrédients liquides dans le puits d'ingrédients
  secs et remuer simplement pour humecter.
  Remplir les moules au ⅔ avec la pâte et cuire au
  four sur la grille du centre pendant 18 à 20 minutes
  ou jusqu'à ce qu'un cure-dents en ressorte propre.
  Donne 12 gros muffins.

QUESADILLAS
au poulet

1 c. à soupe (15 ml) huile végétale

½ oignon, haché fin

½ poivron rouge, coupé en cubes

½ poivron jaune, coupé en cubes

¼ c. à thé (1 ml) sel

¼ c. à thé (1 ml) poivre noir du moulin

1 grosse poitrine de poulet, coupée en petits cubes (ou restes de poulet cuit)

½ tasse (125 ml) fromage, râpé

2 tortillas

ÉTAPES

- Dans un grand poêlon, chauffer l'huile à feu moyen-vif. Ajouter l'oignon, le poivron, le sel et le poivre et cuire en brassant. Réserver. Couper la chair du poulet en bouchées et la faire revenir dans un peu d'huile (sauter cette étape si on dispose de restes de poulet cuit).

- Garnir la moitié de chaque tortilla des mélanges de poivron et de poulet et ajouter le fromage. Plier les tortillas en deux sur la garniture et presser.

- Déposer les quesadillas sur des plaques à biscuits garnies de papier parchemin et cuire au four préchauffé à 400 °F (200 °C) 10 minutes de chaque côté ou jusqu'à ce qu'elles soient dorées et que le fromage ait fondu. Couper en deux ou en quatre et servir avec une salade verte.

PAN-BAGNAT
provençal

INGRÉDIENTS
pour 4 portions

8 tranches de pain de campagne

Thon pâle en boîte, égoutté et émietté

2 c. à soupe (30 ml) huile d'olive

2 gousses ail, écrasées

2,5 c. à soupe (37 ml) vinaigre de vin rouge

1 oignon rouge moyen, en rondelles très fines

8 olives, tranchées finement

2 tomates moyennes, épépinées et coupées en tranches épaisses

4 c. à soupe (60 ml) basilic ou persil frais, haché

ÉTAPES

- Découper 4 grandes feuilles de papier sulfurisé et poser 2 tranches de pain sur chacune d'elles. Imbiber le pain d'huile, le frotter d'ail écrasé et l'asperger de vinaigre. Sur les 4 tranches, répartir en quantités égales le thon, l'oignon, les olives, les tomates et le basilic ou le persil. Les recouvrir avec les tranches restantes, en mettant le côté imbibé d'huile contre la garniture. Envelopper chaque pan-bagnat dans le papier sulfurisé et le laisser reposer à température ambiante pendant 45 minutes avant de les consommer.

BOUILLON
de poulet maison

INGRÉDIENTS

4 lb (2 kg) os ou de morceaux de poulet cru
12 tasses (4 l) eau froide
2 carottes pelées, coupées en morceaux
1-2 branches céleri, coupées en morceaux
1 blanc de poireau en tronçons (ou 1 oignon
    moyen, en quartiers)
2 gousses d'ail
1 feuille laurier
1 branche thym frais ou séché
4 branches persil
6-8 grains poivre
1-2 clous de girofle (facultatif)

ÉTAPES

- Mettre les os ou les morceaux de poulet dans une grande casserole et couvrir d'eau froide. Amener lentement à ébullition en écumant souvent, c'est-à-dire en enlevant le dépôt grisâtre qui se forme en surface à l'aide d'une cuillère trouée, d'une écumoire ou d'un petit tamis. Après une dizaine de minutes, ajouter tous les autres ingrédients et ajuster le feu de façon à maintenir un faible mijotement; éviter l'ébullition afin que le bouillon reste clair. Laisser mijoter doucement à découvert 3 à 4 heures, en écumant de temps à autre. Après la cuisson, filtrer en passant au tamis tapissé d'une feuille de papier essuie-tout ou d'un coton fromage. Saler au goût. Refroidir. Se conserve trois jours au réfrigérateur ou six mois au congélateur.

LES FRUITS

Salade de melon d'eau p.55

Gâteau renversé aux pommes p.56

Faut-il acheter les fruits mûrs ou les laisser mûrir chez soi? Tout dépend du type de fruit, de ses propres goûts et de la température. La saveur sucrée de certains fruits comme la banane ou la pomme dépend de l'amidon qu'ils accumulent au début de leur développement et varie au cours de la maturation. En revanche, d'autres fruits tels que la fraise ou la framboise contiennent du fructose qui donne un goût sucré. Ces fruits doivent être cueillis mûrs pour dégager une saveur agréable.

La couleur donne de bonnes indications du stade de maturation des fruits. Le vert de la chlorophylle indique que le fruit n'est pas mûr et qu'il faut attendre que d'autres pigments apparaissent: l'orange des caroténoïdes[1] et le rouge des anthocyanes[2], par exemple.

1. De nombreuses études épidémiologiques ont montré l'existence d'une association entre une augmentation de la consommation de caroténoïdes et la diminution du risque de cancer. Les effets biologiques des caroténoïdes sur la communication intercellulaire pourraient expliquer, en partie, cette association.

2. Les anthocyanines sont caractérisées par leurs propriétés antioxydantes, favorables à la santé et notamment contre le vieillissement cellulaire en améliorant l'élasticité et la densité de la peau. Ils évitent aussi les rougeurs en renforçant la résistance des petits vaisseaux sanguins de l'épiderme.

Un principe de base pour limiter les dépenses effarantes en matière d'alimentation est de savoir choisir les fruits en fonction des saisons. Un fruit acheté en saison est également une source optimum de vitamines et de minéraux, sans oublier qu'il coûte généralement moins cher, est plus savoureux, et surtout, n'a pas consommé trop de kilomètres pour venir dans votre assiette.

Pour en préserver les qualités nutritives, il est important de consommer vos fruits le plus rapidement possible après leur cueillette.

BON À SAVOIR

Pour vérifier si un fruit est mûr, le tenir dans la paume de la main et le serrer doucement. Si la chair cède sous la pression et dégage une odeur sucrée, le fruit est prêt à être mangé. Certains fruits tels que les baies, les cerises et les ananas ne mûrissent plus après avoir été cueillis et peuvent être mangés immédiatement, tandis que d'autres fruits continuent de mûrir après avoir été récoltés. Les fruits mûrs doivent être mangés dès que possible ou gardés au réfrigérateur.

Les agrumes sont cueillis mûrs; par contre, leur peau les protège et leur assure une durée de conservation plus longue.

Certains fruits tels que la pomme, la tomate et la banane dégagent naturellement de l'éthylène qui déclenche le processus du mûrissement, accélérant ainsi la maturation. Puisqu'elles dégagent beaucoup d'éthylène. Je suggère de placer une banane dans un sac avec d'autres fruits que vous désirez faire mûrir rapidement.

Comme l'éthylène cause la détérioration des légumes dans le réfrigérateur, il faut les placer à l'écart des fruits.

ENTREPOSAGE DES FRUITS

Fruit frais

Entreposage

Température ambiante 20 ° à 22 °C

✔ Au frigo
✘ Pas au frigo

Au réfrigérateur 4 °C dans un récipient couvert

Conseils

   * prêt à manger
 ** sensible à l'éthylène
*** producteur d'éthylène

Ne pas entreposer les fruits et légumes sensibles à l'éthylène avec ceux produisant de l'éthylène.

Abricot

Se conserve à la température ambiante jusqu'à maturité gustative.

✔

Se conserve au réfrigérateur 1 semaine; ne pas couvrir.

Conseil

*** producteur d'éthylène

Ananas

Ne se conserve pas à la température ambiante.

✔

Se conserve au réfrigérateur 2-3 jours; ne pas couvrir.

Conseils
* prêt à manger

Les ananas absorbent l'odeur des avocats et des piments verts.

Avocat

Se conserve à la température ambiante jusqu'à maturité gustative.

Se conserve au réfrigérateur 2-5 jours.

Conseil

*** producteur d'éthylène

Myrtille

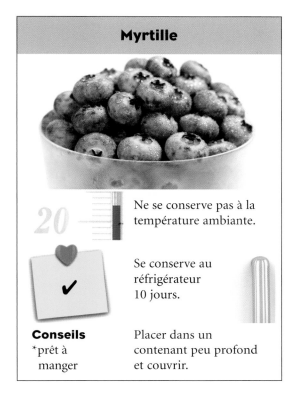

Ne se conserve pas à la température ambiante.

Se conserve au réfrigérateur 10 jours.

Conseils
* prêt à manger

Placer dans un contenant peu profond et couvrir.

Banane

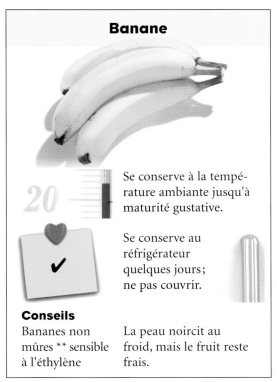

Se conserve à la température ambiante jusqu'à maturité gustative.

Se conserve au réfrigérateur quelques jours ; ne pas couvrir.

Conseils

Bananes non mûres ** sensible à l'éthylène

La peau noircit au froid, mais le fruit reste frais.

Canneberge

Ne se conserve pas à la température ambiante.

Se conserve au réfrigérateur 2 semaines.

Conseil

* prêt à manger

Note : ** et *** ne pas entreposer les fruits et légumes sensibles à l'éthylène avec ceux produisant de l'éthylène.

Carambole

Se conserve à la température ambiante jusqu'à maturité gustative.

Se conserve au réfrigérateur 1 semaine.

Conseil

*** producteur d'éthylène

Citron et lime

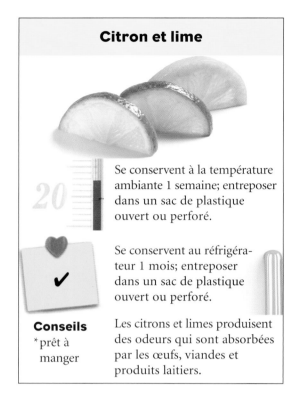

Se conservent à la température ambiante 1 semaine; entreposer dans un sac de plastique ouvert ou perforé.

Se conservent au réfrigérateur 1 mois; entreposer dans un sac de plastique ouvert ou perforé.

Conseils
* prêt à manger

Les citrons et limes produisent des odeurs qui sont absorbées par les œufs, viandes et produits laitiers.

Cerise

Ne se conserve pas à la température ambiante.

Se conserve au réfrigérateur 3 jours.

Conseils
* prêt à manger

Les cerises absorbent l'odeur des fruits et légumes très parfumés. Les cerises avec queue se garderont plus longtemps. Placer dans un contenant peu profond.

Fraise

Ne se conserve pas à la température ambiante.

Se conserve au réfrigérateur 1-2 jours, couvrir dans un contenant peu profond.

Conseils
* prêt à manger

Laver à l'eau tiède avec les queues. Pour saveur optimale, laisser les fraises à la température ambiante avant de consommer.

Note : ** et *** ne pas entreposer les fruits et légumes sensibles à l'éthylène avec ceux produisant de l'éthylène.

Framboise

Ne se conserve pas à la température ambiante.

Se conserve au réfrigérateur 1-2 jours, couvrir dans un contenant peu profond.

Conseil

* prêt à manger

Kiwi

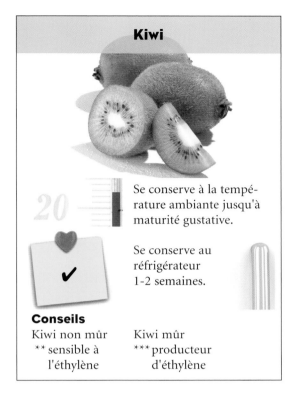

Se conserve à la température ambiante jusqu'à maturité gustative.

Se conserve au réfrigérateur 1-2 semaines.

Conseils

Kiwi non mûr
** sensible à l'éthylène

Kiwi mûr
***producteur d'éthylène

Fruit de la passion

Ne se conserve pas à la température ambiante.

Se conserve au réfrigérateur 1 semaine.

Conseil

***producteur d'éthylène

Litchi

Ne se conserve pas à la température ambiante.

Se conserve au réfrigérateur 1-2 semaines.

Conseils

*prêt à manger

Pour une saveur plus prononcée, choisir des fruits lourds sans craquèlements.

Note : ** et *** ne pas entreposer les fruits et légumes sensibles à l'éthylène avec ceux produisant de l'éthylène.

Mangue

Se conserve à la température ambiante jusqu'à maturité gustative.

Se conserve au réfrigérateur 3 jours.

Conseil

***producteur d'éthylène

Melon d'eau

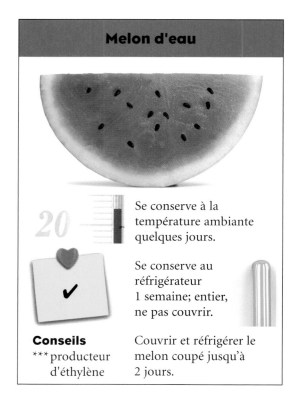

Se conserve à la température ambiante quelques jours.

Se conserve au réfrigérateur 1 semaine; entier, ne pas couvrir.

Conseils
***producteur d'éthylène

Couvrir et réfrigérer le melon coupé jusqu'à 2 jours.

Melon

(la plupart des variétés)

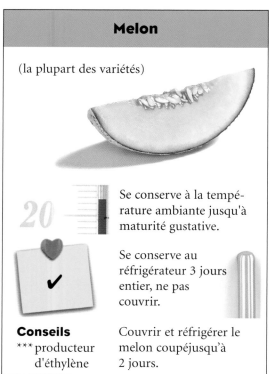

Se conserve à la température ambiante jusqu'à maturité gustative.

Se conserve au réfrigérateur 3 jours entier, ne pas couvrir.

Conseils
***producteur d'éthylène

Couvrir et réfrigérer le melon coupéjusqu'à 2 jours.

Nectarine

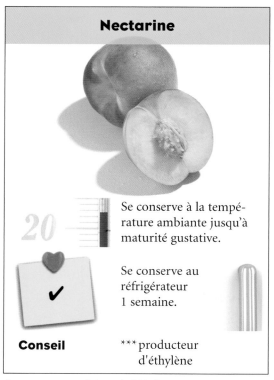

Se conserve à la température ambiante jusqu'à maturité gustative.

Se conserve au réfrigérateur 1 semaine.

Conseil

***producteur d'éthylène

Note : ** et *** ne pas entreposer les fruits et légumes sensibles à l'éthylène avec ceux produisant de l'éthylène.

Noix de coco

Se conserve à la tempé-
rature ambiante
1-2 semaines.

Se conserve au
réfrigérateur
1-2 semaines; ne pas
couvrir.

Conseils
* prêt à manger

Râpée, se garde au
réfrigérateur 1 semaine.

Pamplemousse

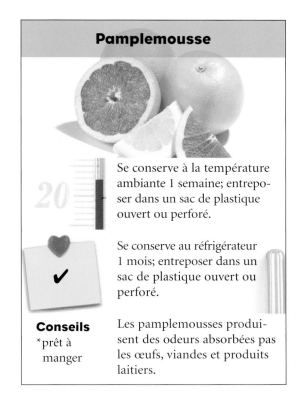

Se conserve à la température
ambiante 1 semaine; entreposer dans un sac de plastique
ouvert ou perforé.

Se conserve au réfrigérateur
1 mois; entreposer dans un
sac de plastique ouvert ou
perforé.

Conseils
*prêt à
manger

Les pamplemousses produi-
sent des odeurs absorbées pas
les œufs, viandes et produits
laitiers.

Orange

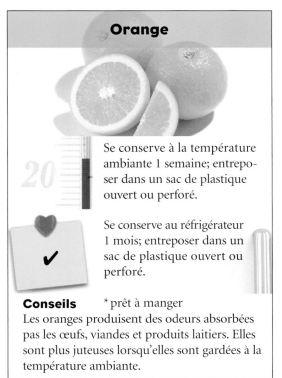

Se conserve à la température
ambiante 1 semaine; entreposer dans un sac de plastique
ouvert ou perforé.

Se conserve au réfrigérateur
1 mois; entreposer dans un
sac de plastique ouvert ou
perforé.

Conseils   * prêt à manger

Les oranges produisent des odeurs absorbées
pas les œufs, viandes et produits laitiers. Elles
sont plus juteuses lorsqu'elles sont gardées à la
température ambiante.

Papaye

Se conserve à la tempé-
rature ambiante jusqu'à
maturité gustative.

Se conserve au
réfrigérateur
1 semaine.

Conseils
***producteur
d'éthylène

Réfrigérer les papayes
mûres ou quasi-mûres
car les températures
froides empêchent les
fruits d'atteindre leur
maturité gustative.

Note : ** et *** ne pas entreposer les fruits et légumes sensibles à l'éthylène avec ceux produisant de l'éthylène.

Pêche

Se conserve à la température ambiante jusqu'à maturité gustative.

Se conserve au réfrigérateur 1 semaine ; ne pas couvrir et ne pas empiler les unes sur les autres.

Conseil   ***producteur d'éthylène

Plantain

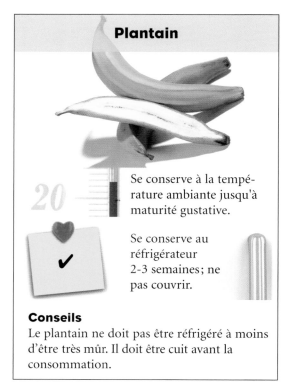

Se conserve à la température ambiante jusqu'à maturité gustative.

Se conserve au réfrigérateur 2-3 semaines ; ne pas couvrir.

Conseils
Le plantain ne doit pas être réfrigéré à moins d'être très mûr. Il doit être cuit avant la consommation.

Plaquemine (kaki)

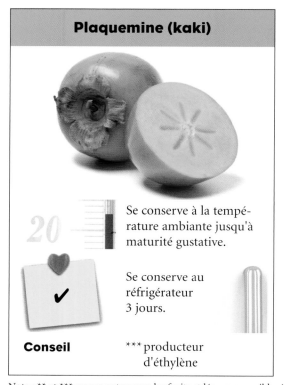

Se conserve à la température ambiante jusqu'à maturité gustative.

Se conserve au réfrigérateur 3 jours.

Conseil   ***producteur d'éthylène

Poire

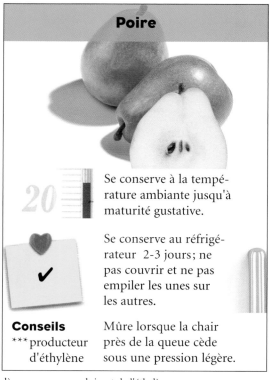

Se conserve à la température ambiante jusqu'à maturité gustative.

Se conserve au réfrigérateur 2-3 jours ; ne pas couvrir et ne pas empiler les unes sur les autres.

Conseils
***producteur d'éthylène   Mûre lorsque la chair près de la queue cède sous une pression légère.

Note : ** et *** ne pas entreposer les fruits et légumes sensibles à l'éthylène avec ceux produisant de l'éthylène.

Poire-cactus

Se conserve à la température ambiante jusqu'à maturité gustative.

Se conserve au réfrigérateur 1-2 jours.

Conseil

*prêt à manger

Pomme grenade

Ne se conserve pas à la température ambiante.

Se conserve au réfrigérateur 3-4 semaines.

Conseil

*prêt à manger

Pomme

Ne se conserve pas à la température ambiante.

Se conserve au réfrigérateur 2 mois ou 2-3 semaines dans un sac de plastique perforé dans le tiroir à fruits.

Les pommes absorbent les odeurs des patates, oignons et autres produits. Elles ramollissent dix fois plus vite à la température ambiante.

Conseils

***producteur d'éthylène

Prune

Se conserve à la température ambiante jusqu'à maturité gustative.

Se conserve au réfrigérateur 3-5 jours.

Conseil

***producteur d'éthylène

Note : ** et *** ne pas entreposer les fruits et légumes sensibles à l'éthylène avec ceux produisant de l'éthylène.

Raisin

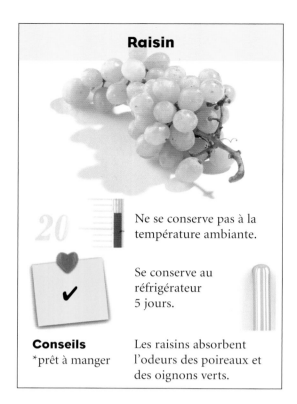

Ne se conserve pas à la température ambiante.

Se conserve au réfrigérateur 5 jours.

Conseils
*prêt à manger

Les raisins absorbent l'odeurs des poireaux et des oignons verts.

Tangerine

Se conserve à la température ambiante 1 semaine; entreposer dans un sac de plastique ouvert ou perforé.

Se conserve au réfrigérateur 1 mois; entreposer dans un sac de plastique ouvert ou perforé.

Conseils
*prêt à manger

Les tangerines produisent des odeurs absorbées par les viandes, œufs et produits laitiers.

Rhubarbe

Ne se conserve pas à la température ambiante.

Se conserve au réfrigérateur 5 jours.

Conseils
*prêt à manger

Elle absorbe l'odeur des avocats et des oignons verts.

LE TOP 14 DES MEILLEURS FRUITS À METTRE DANS SON CHARIOT

En faire provision, c'est s'assurer de faire le plein de vitamines et de minéraux. Je suggère de les acheter en petites quantités pour ne rien jeter. Dans le chariot, ne pas déposer près de la viande ou de la volaille.

Note : ** et *** ne pas entreposer les fruits et légumes sensibles à l'éthylène avec ceux produisant de l'éthylène.

1. MYRTILLE*

Caractéristiques
Source de vitamine C, de potassium, de sodium et de fibres. Les myrtilles renferment plusieurs acides, notamment l'acide oxalique, malique et citrique ainsi que des anthocyanides.

Achat
Choisir des myrtilles fermes et dodues de couleur bleu indigo et givrés d'un blanc argenté. Éviter les myrtilles avec un reflet vert, rouge, pourpre ou rose (manque de mûrissement).

Disponibilité
Les myrtilles se cueillent en juillet, en août et en septembre.

Bénéfices santé
- Elles aident à prévenir le cancer;
- Elles protègent les parois vasculaires;
- Elles sont antidiabétiques.

2. CANNEBERGE*

Caractéristiques
Cousine de la myrtille, elle est une excellente source de vitamine C, de potassium et renferme divers acides, notamment l'acide oxalique et l'acide citrique.

Achat
Elle doit être charnue, ferme et lustrée.

Disponibilité
Récoltée de septembre jusqu'à la fin octobre, la canneberge est disponible d'octobre à décembre.

Bénéfices santé
- Elle est antibiotique;
- Elle prévient les maladies urinaires;
- Elle améliore la vision et protège contre les infections des yeux.

★ Règle générale, les petits fruits sont faibles en calories et en matières grasses et riches en vitamine C, en potassium et en magnésium. Laver au moment de consommer.

3. FRAISE*

Caractéristiques
Excellente source de vitamines C et A et une bonne source de fibres alimentaires, de potassium et une source d'acide folique, d'acide pantothénique et de magnésium.

....

Achat
Choisir des fraises dodues et vivement colorées dont le chapeau est d'un vert frais. Les fraises entières perdent moins de leur valeur nutritive que les fraises coupées ou écrasées, car une moins grande surface est exposée à l'air. La perte de vitamine C peut cependant être atténuée si on ajoute du jus de citron ou de pomme.

....

Disponibilité
Les meilleures fraises font leur apparition de la mi-mai à la mi-juillet. La fraise d'automne prend le relais du début juillet jusqu'à la mi-octobre.

....

Bénéfices santé
- Elle combat le VIH;
- Elle est dépurative et diurétique;
- Elle prévient la constipation;
- Elle soulage la goutte.

4. FRAMBOISE*

Caractéristiques
Excellente source de vitamine C, A, elle contient du potassium et du magnésium ainsi que des traces de calcium.

....

Achat
Rechercher des fruits dodus et ronds, non aplatis ni meurtris. De couleur rouge, blanche, jaune ou pourpre très foncé, les framboises peuvent être sucrées ou acidulées.

....

Disponibilité
C'est en juillet que les framboises arrivent sur nos tablettes.

....

Bénéfices santé
- Elle accélère le transit intestinal;
- Elle est antirhumatismale;
- Elle combat les infections urinaires;
- Elle diminue les risques de maladies cardiovasculaires;
- Elle est dépurative et diurétique;
- Elle protège les cellules du vieillissement.

5. MÛRE*

Caractéristiques
Excellente source de vitamine C et de potassium; elle contient du magnésium et du cuivre.

....

Achat
Choisir des mûres dodues et tendres presque noires.

....

Disponibilité
La saison des mûres sauvages s'étend de mai à août.

★ Règle générale, les petits fruits sont faibles en calories et en matières grasses et riches en vitamine C, en potassium et en magnésium. Laver au moment de consommer.

6. CANTALOUP

Caractéristiques
Excellente source de vitamines A et C, de potassium et d'acide folique.

....

Achat
Il est sans queue, avec des veines rêches et la chair de couleur rose saumon ou jaune orangé très sucrée à l'arôme délicat. À maturité, il émet un son creux quand on le tape avec la paume de la main.

....

Disponibilité
Melon d'été récolté de juillet à octobre.

....

Bénéfices santé
- Il abaisse la tension artérielle;
- Il est anticoagulant;
- Il est un rajeunissant tissulaire;
- Il réduit les risques de cancer;
- Il soulage les rhumatismes et la goutte.

7. MELON D'EAU

Caractéristiques
Renferme des quantités appréciables de nutriments, notamment de la vitamine C, du potassium et des caroténoïdes.

Achat
Surface lisse légèrement cireuse, une des extrémités de l'écorce doit être plus pâle presque jaune. Le melon doit être ferme et lourd aux côtés symétriques et arrondis. Il doit émettre un bruit sourd lorsqu'on le tape. La chair est d'un rouge vif.

Disponibilité
Du début août à la mi-septembre.

Bénéfices santé
- Il est riche en lycopène (en contient 60 % plus que la tomate), c'est un antioxydant réputé pour prévenir le cancer du sein et de la prostate;
- Il est bénéfique pour le système immunitaire, le cœur et les vaisseaux sanguins;
- Il combat les troubles érectiles.

8. BANANE

Caractéristiques
Excellente source de vitamine B_6 et de potassium, elle est aussi une source de vitamine C, de riboflavine, d'acide folique et de magnésium.

Achat
Choisir un fruit ferme, mais pas trop dur. La banane est jaune vif et tachetée de points bruns ou noirs.

Disponibilité
Disponible toute l'année.

Bénéfices santé
- Elle favorise la croissance et le système osseux;
- Elle protège l'équilibre nerveux;
- Elle réduit l'hypertension.

9. POMME

Caractéristiques

Excellente source d'antioxydants de fibres alimentaires, de potassium et de vitamine C. Contient de la pectine et de la cellulose. La majeure partie des nutriments se loge sous la pelure de la pomme, c'est pourquoi il est suggéré de la consommer avec la pelure.

Achat

Acheter les pommes quand elles sont abondantes sur le marché. La belle apparence du fruit n'est pas le seul critère de qualité. Test de qualité : donner une petite chiquenaude sur le fruit près de la queue. Si le son est mat, le fruit est à point. S'il sonne creux, le fruit est trop mûr et ne se conservera pas. Les pommes se conservent quelques semaines au réfrigérateur dans le bac à fruits ou dans un sac perforé. Jeter celles trop mûres et endommagées ou les garder à l'écart des autres. Si elles ne sont pas assez mûres, les laisser à la température ambiante.

Disponibilité

Elles sont conservées dans des entrepôts non réfrigérés, réfrigérés ou dans des entrepôts à atmosphère contrôlée, ce qui a pour but d'empêcher les pommes de ratatiner, de se dessécher et de pourrir. De septembre à novembre, on trouve des pommes fraîches et variées pour de multiples usages.

Bénéfices santé

- Elle aide à combattre la carie;
- Elle diminue le taux de cholestérol sanguin;
- Elle diminue les risques de maladies cardiovasculaires;
- Elle est diurétique;
- Elle est laxative.

10. KIWI

Caractéristiques

Constitue une excellente source de vitamine C et de potassium, il contient du magnésium, des traces de phosphore, de fer et de vitamine A.

....

Achat

Choisir un fruit intact à la couleur uniforme. Il est prêt à être consommé lorsque sa chair est molle et cède sous une légère pression des doigts. Éviter les fruits durs ou ridés. Conserver à la température ambiante.

....

Disponibilité

Disponible toute l'année. On trouve aussi des variétés jaunes.

....

Bénéfices santé

- Il abaisse le taux de cholestérol;
- Il combat l'hypertension artérielle;
- Il prévient le cancer.

11. MANGUE

Caractéristiques

Riche en bêta carotène, en vitamines A B et C, en calcium et en potassium.

....

Achat

Sa peau lisse est teintée de rouge, de violet, de rose ou de jaune orangé, tandis que sa chair jaune orangé est douce. Elle peut être fibreuse, mais doit être juteuse, sucrée et parfumée. Choisir un fruit intact et exempt de tache. Elle est mûre lorsqu'elle cède sous une légère pression des doigts et qu'un parfum capiteux et sucré s'en dégage. Conserver à la température ambiante.

....

Disponibilité

Disponible toute l'année, mais meilleures de la mi-mars à juillet.

....

Bénéfices santé

- Elle diminue les risques de maladies cardiovasculaires;
- Elle prévient le vieillissement cellulaire;
- Elle protège contre certains types de cancer.

12. ORANGE

Caractéristiques

Riche en vitamine C et bonne source de potassium.

Achat

Choisir une orange ferme et lourde avec une peau lisse.

Disponibilité

Disponible toute l'année, mais meilleures de novembre à avril.

Bénéfices santé

- Elle diminue les risques d'accidents vasculaires ;
- Elle lutte contre différents types de cancer ;
- Elle purifie le sang ;
- Elle protège les tissus vasculaires ;
- Elle rajeunit les cellules ;
- Elle renforce les défenses naturelles.

Le saviez-vous ?

Les noms «Sunkist», «Jaffa» ou «Outspan» correspondent à une pratique commerciale. «Sunkist» est le nom d'une coopérative regroupant des agrumiculteurs de Californie et d'Arizona, tandis que «Jaffa» est une appellation choisie par le gouvernement d'Israël et «Outspan», un nosm choisi par l'Afrique du Sud.

13. PAMPLEMOUSSE ROSE

Caractéristiques
Riche en vitamine C et en potassium.

....

Achat
Ferme et lourd.

....

Disponibilité
Disponible toute l'année, mais la haute saison est de novembre à mars.

....

Bénéfices santé
- Il est antihémorragique;
- Il atténue les risques de cancer;
- Il est digestif et diurétique;
- Il réduit le cholestérol sanguin.

14. RAISIN ROUGE

Caractéristiques
Il contient de la vitamine C, de la thiamine, de la vitamine B_6 et du potassium.

....

Achat
Les acheter losqu'ils sont bien attachés à la grappe, charnus, colorés et recouverts de pruine (pellicule poudreuse).

....

Disponibilité
Le raisin est disponible toute l'année, mais la haute saison est de la mi-août à la mi-octobre.

....

Bénéfices Santé
- Il abaisse le taux de cholestérol;
- Il diminue les risques de maladies cardiovasculaires;
- Il prévient le vieillissement de la peau;
- Il protège contre le cancer;
- Il réduit l'hypertension artérielle.

TRUCS POUR CONSOMMER PLUS DE FRUITS QUOTIDIENNEMENT

- Remplacer la confiture par une compote maison de fruits frais, des tranches de bananes, des pêches, des bleuets ou framboises.

- Consommer les fruits à jeun, 15 ou 20 minutes avant de déjeuner. Ils sont mieux absorbés par l'intestin grêle.

- Sucrer un gruau nature avec un coulis de framboises fait maison.

- Ajouter des tranches de mangue, nectarines ou petits fruits à la salade pour marier les saveurs.

- Consommer des fruits séchés (bien que plus sucrés, ils possèdent des éléments nutritifs et comblent des envies de sucre).

- Ajouter des cubes d'ananas aux brochettes de poulet.

- Manger en collation de fruits. On évite ainsi de succomber à la tentation des machines distributrices, des cantines, des dépanneurs.

- Préparer une vinaigrette à base de fraises pour la salade de laitue traditionnelle.

- La salade de fraises rehaussée d'un soupçon de vinaigre balsamique et de sucre brun constitue un parfait dessert sucré et santé.

- Pour un sorbet santé, congeler des fruits frais en morceaux, les déposer dans le bol du mélangeur avec quelques cuillères à table de yaourt sans gras et réduire en purée lisse.

- Les fruits cuits sur le barbecue sont délicieux. Pourquoi ne pas terminer un repas avec des tranches d'ananas, de mangues, des moitiés de pêches, prunes ou nectarines grillées?

- Placer un plat de fruits frais, de la salade de fruits, sur la tablette la plus en vue du réfrigérateur. Ainsi, quand un membre de la famille ouvre le réfrigérateur avec une petite fringale, il y aura déjà une collation toute prête.

SMOOTHIE
aux petits fruits

INGRÉDIENTS

½ banane
½ tasse (125 ml)
   fraises, congelées
½ tasse (125 ml)
   framboises,
   surgelées
½ tasse (125 ml)
   yaourt nature
   de type bulgare
1 c. thé (5 ml)
   vanille
½ tasse (125 ml)
   boisson de soja
   nature

ÉTAPES

- Mettre tous les ingrédients dans le malaxeur et mélanger. Ajuster la quantité de boisson au soja jusqu'à l'obtention de la texture désirée.

CROUSTADE
aux pommes et aux canneberges

INGRÉDIENTS

½ tasse (125 ml) farine

1 ½ tasse (375 ml) farine d'avoine

¾ tasse (180 ml) cassonade

½ tasse (125 ml) beurre mou ou margarine

6 à 8 pommes pelées, le cœur enlevé et coupées en quartier

5 c. à soupe (75 ml) cassonade

18 canneberges fraîches ou surgelées

ÉTAPES

■ Mélanger tous les ingrédients secs dans le mélangeur et mixer. Ajouter le beurre et pulser jusqu'à l'obtention d'un mélange granuleux. Déposer les pommes et les canneberges dans un moule rectangulaire de 11 po x 7 po (28 cm x 18 cm) préalablement graissé et saupoudrer le tout de 5 c. à soupe (75 ml) de cassonade. Disposer le mélange granuleux sur les pommes et les canneberges. Cuire au four à 350 °F (180 °C) pendant 30 minutes.

BROCHETTE
de fruits et trempette à l'orange

INGRÉDIENTS
pour 12 brochettes

Brochettes

1 tasse (250 ml) suprêmes d'orange (2 oranges)

1 tasse (250 ml) sections de clémentine (2 clémentines)

1 tasse (250 ml) suprêmes de pamplemousse (1 pamplemousse)

1 tasse (250 ml) raisins verts et rouges

1 tasse (250 ml) fraises, lavées et équeutées

Trempette à l'orange

1 tasse (250 ml) yaourt à la vanille

1 c. à soupe (15 ml) jus d'orange

1 c. à soupe (15 ml) zeste d'orange

ÉTAPES

- Mélanger le yaourt avec le jus et le zeste d'orange, couvrir et réfrigérer. Enfiler les fruits sur des brochettes de bois. Servir avec la trempette. Les enfants raffolent de ces brochettes. On peut remplacer les fraises par des sections de bananes passées dans le jus de citron.

Pour préparer les suprêmes des oranges et du pamplemousse

- Au couteau, peler le fruit à vif. Couper chaque suprême au couteau en tranchant la chair au ras de la peau blanche puis tourner légèrement la lame du couteau et la faire glisser par en-dessous sur l'autre peau blanche.

SALADE
de melon d'eau

INGRÉDIENTS

6 tasses (1.5 l) melon d'eau, en cubes

⅓ tasse (80 ml) feuilles de menthe, coupées finement

¾ tasse (180 ml) fromage feta, en morceaux

4 c. à soupe (60 ml) pignons de pin, grillés

Jus de 1 citron

1 c. à soupe (15 ml) huile d'olive

Sel et poivre

ÉTAPES

- Dans un grand bol, déposer le melon d'eau.

- Couvrir des feuilles de menthe. Ne pas mélanger. Ajouter l'huile d'olive, le jus du citron, le fromage feta et les pignons. Saler et poivrer.

On peut remplacer la menthe par du basilic frais. Il est préférable d'assembler la salade juste avant de la servir.

GÂTEAU
renversé aux pommes

INGRÉDIENTS

2 c. à soupe (30 ml) beurre
   et 1 c. à thé (5 ml) pour le moule
1 c. à soupe (15 ml) miel
1 c. à soupe (15 ml) cassonade
   blonde
4 pommes, pelées, évidées, coupées
   en huit
⅓ tasse (80 ml) raisins secs
3 tasses (750 ml) farine tout usage
1 c. à thé (5 ml) poudre à pâte
1 c. à thé (5 ml) bicarbonate de
   soude
1 c. à thé (5 ml) gingembre moulu
1 c. à thé (5 ml) cannelle
3 blancs d'œufs
1 jaune d'œuf
½ tasse (125 ml) jus de pomme
   concentré
4 c. à soupe (60 ml) huile de
   canola (colza)
4 c. à soupe (60 ml) miel
1 c. à thé (5 ml) extrait de vanille
1 tasse (250 ml) yaourt nature

ÉTAPES

- Préchauffer le four à 350 °F (180 °C).
Beurrer un moule à gâteau rond de 9 po
(23 cm). Dans un grand poêlon antiadhésif,
faire fondre 2 c. à soupe (30 ml) de beurre à
feu moyen, ajouter le miel et la cassonade et
chauffer jusqu'à ce que la cassonade soit
fondue puis ajouter en remuant les pommes
et laisser cuire pendant 10 minutes jusqu'à ce
qu'elles soient tendres. Disposer les pommes
dans le moule à gâteau et parsemer de
raisins secs. Dans un bol moyen, mélanger
la farine, la poudre à pâte, le bicarbonate de
soude et les épices. Dans un autre bol,
fouetter les blancs d'œufs au batteur électrique ou au fouet jusqu'à formation de pics
souples. Ajouter le jaune d'œuf, le jus de
pomme concentré, l'huile, le miel et la
vanille. Incorporer le tiers des ingrédients
secs puis le tiers du yaourt. Continuer ainsi
jusqu'à épuisement des ingrédients. Verser
la pâte sur les fruits. Cuire 40-50 minutes ou
jusqu'à ce que le gâteau soit bien levé.
Laisser refroidir 10 minutes puis renverser
dans une grande assiette de service. Servir
chaud ou froid.

INGRÉDIENTS

6 pommes moyennes à cuire
1 tasse (250 ml) noix
½ tasse (125 ml) raisins secs ou
   canneberges
¼ tasse (60 ml) noix de coco non
   sucrée, râpée
2 c. à soupe (30 ml) sirop d'érable
1 c. à thé (5 ml) zeste de citron, râpé
¼ c. à thé (1 ml) cannelle, moulue
¼ c. à thé (1 ml) muscade, moulue
½ tasse (125 ml) confiture d'abricot
1 ½ tasse (375 ml) cidre de pomme,
   vin blanc ou cidre
1 c. à soupe (15 ml) beurre
½ c. à thé (2,5 ml) extrait de vanille

POMMES
au four

ÉTAPES

- Préchauffer le four à 375 °F (190 °C).
- Couvrir une plaque de papier sulfurisé.
- Évider les pommes à l'aide d'un vide-pomme, de sorte à former un vide de 1 po (2,5 cm) de largeur. Peler le tiers supérieur des pommes. À l'aide d'un couteau bien effilé, pratiquer une entaille d'environ ¼ po (0,5 cm) de profondeur tout autour de chaque pomme, à la hauteur de la pelure. Tailler ensuite l'ouverture de chaque pomme en forme de petit cratère s'ouvrant vers l'intérieur afin de mieux retenir la confiture. Réserver.
- Dans le mélangeur, hacher grossièrement noix, noix de coco, raisins ou canneberges puis ajouter le sirop d'érable, zeste de citron, cannelle et muscade. Le mélange doit être grumeleux.

- Déposer les pommes sur la plaque préparée et presser doucement ¼ tasse (60 ml) de mélange aux noix au centre de chaque pomme. Couvrir d'une généreuse cuillerée de confiture d'abricot.
- Mélanger le cidre de pomme et le beurre dans un petit poêlon. Chauffer à feu doux jusqu'à ce que le beurre ait fondu. Retirer du feu et incorporer la vanille. Verser ce liquide sur les pommes. Les couvrir d'une feuille d'aluminium et cuire au centre du four 30 minutes. Badigeonner les pommes avec le jus.
- Poursuivre la cuisson à découvert pendant 20 à 35 minutes, selon la taille des pommes. Badigeonner chaque 10 minutes et cuire jusqu'à ce que les pommes soient tendres.

MUFFINS
aux kiwis

INGRÉDIENTS

1 tasse (250 ml) farine blanche

1 tasse (250 ml) farine de blé entier

½ tasse (125 ml) sucre

½ c. à thé (2.5 ml) sel

1 c. à soupe (15 ml) poudre à pâte

1 tasse (250 ml) lait ou yaourt nature

4 c. à soupe (60 ml) beurre fondu (ou huile de colza)

2 œufs

1 c. à thé (5 ml) vanille

4 ou 5 kiwis mûrs, pelés et coupés en petits cubes

ÉTAPES

■ Préchauffer le four à 500 °F (260 °C). Mélanger les ingrédients secs dans un grand bol et incorporer les fruits à ce mélange. Faire un puits au milieu. Dans un autre bol, mélanger le lait (ou le yaourt), le beurre (ou l'huile), la vanille et les œufs. Les ajouter aux ingrédients secs. Mélanger à la cuillère de façon à humecter la préparation. Déposer la pâte dans les moules à muffins graissés (ou dans des moules en papier ou en silicone) et mettre au four. Baisser immédiatement la température à 400 °F (200 °C). Cuire de 15 à 20 minutes.

LES LÉGUMES

Potage de légumes oubliés   p.84

Tomates farcies à la saucisse p.88

Les légumes sont riches en fibres et pauvres en matières grasses. Ils sont une source importante de vitamines et contiennent de l'acide folique, vitamine C et provitamine A, du potassium et du magnésium. En manger réduit le risque de maladies comme la constipation, l'hypertension, l'hypercholestérolémie et même certains types de cancer. Ils aident à hydrater le corps en raison de leur forte teneur en eau, facilitant ainsi l'élimination des toxines.

Crus ou cuits, les légumes ont un intérêt nutritionnel fondamental et doivent être présents dans notre alimentation tous les jours et plusieurs fois par jour en diversifiant leurs préparations. Mieux vaut privilégier les légumes frais, plus riches en vitamines et minéraux. Les légumes surgelés et en conserve gardent également leurs propriétés importantes. Les vitamines et minéraux sont assez fragiles et la manière de préparer les légumes influe sur leurs teneurs. Les légumes doivent être rincés sous un filet d'eau et ne jamais être trempés : certains sels minéraux et vitamines sont hydrosolubles et peuvent passer dans l'eau de trempage. Leur préparation et leur assaisonnement doivent se faire quelques minutes avant les repas.

Pour ne pas se lasser, on peut alterner les légumes cuits et crus. Les légumes crus conservent mieux les vitamines, mais trop en consommer peut irriter l'intestin. Cuits, ils perdent certaines propriétés, mais sont plus digestes. Cependant, pour que le légume garde le maximum de nutriments, il faut qu'il soit saisi rapidement par la chaleur. De plus, si la cuisson s'effectue à l'eau, il faut une quantité minimale d'eau bouillante salée. Quand les légumes sont cuits, nous consommons davantage de nutriments. Les cuissons à la vapeur, à l'étouffée ou aux micro-ondes, sont les plus indiquées parce qu'elles respectent le goût et la valeur nutritionnelle des légumes.

Ils se mangent en salade mélangée avec d'autres aliments (riz, pommes de terre, thon, jambon, etc.), en soupe ou en potage, en gratin avec de la béchamel, ou du fromage auquel on peut ajouter un peu de viande ou du poisson.

On peut faire aussi un gratin de pâtes avec des légumes, en tarte ou en pizza.

SAVOIR ACHETER SES LÉGUMES

La couleur vive est synonyme de richesse en vitamines, minéraux et antioxydants. Il est important de choisir les légumes exempts de moisissure et de fentes où pourraient se loger des micro-organismes susceptibles de contaminer le reste du sac. Les feuilles doivent être croquantes.

Mieux vaut acheter des légumes qui seront consommés dans les prochains jours, exception faite des légumes-racines et des tubercules. Les légumes de saison provenant d'agriculteurs locaux demeurent la meilleure façon de les consommer. Les légumes congelés, lorsque les légumes frais sont hors saison et hors de prix sont un choix nutritif et économique.

LA CONSERVATION

À la maison, les légumes se conservent selon leur type. Les légumes-racines se conservent dans un endroit frais et sombre, tandis que les autres légumes se gardent dans le tiroir prévu à cet effet dans le réfrigérateur sans avoir été lavés avant la conservation.

ENTREPOSAGE DES LÉGUMES

Légume frais

Entreposage

Température ambiante 20 ° à 22 °C

✔ Au frigo
✘ Pas au frigo

Au réfrigérateur 4 °C dans un récipient couvert.

Conseils

  * prêt à manger
 ** sensible à l'éthylène
*** producteur d'éthylène

Ne pas entreposer les fruits et légumes sensibles à l'éthylène avec ceux produisant de l'éthylène

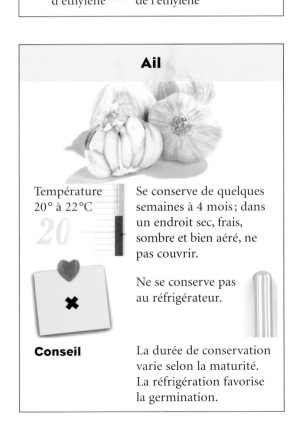

Ail

Température 20° à 22°C

Se conserve de quelques semaines à 4 mois; dans un endroit sec, frais, sombre et bien aéré, ne pas couvrir.

✘

Ne se conserve pas au réfrigérateur.

Conseil

La durée de conservation varie selon la maturité. La réfrigération favorise la germination.

Artichaut

Ne se conserve pas à la température ambiante.

Se conserve au réfrigérateur 1 semaine.

Conseil Avant de réfrigérer, asperger d'eau.

Aubergine

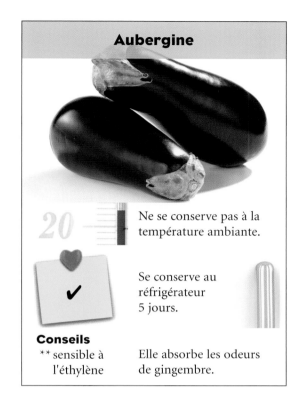

Ne se conserve pas à la température ambiante.

Se conserve au réfrigérateur 5 jours.

Conseils
** sensible à l'éthylène

Elle absorbe les odeurs de gingembre.

Asperge

Ne se conserve pas à la température ambiante.

Se conserve au réfrigérateur 4 jours.

Conseil Laisser tremper le bout des tiges dans l'eau ou entourer d'une serviette humide.

Betterave

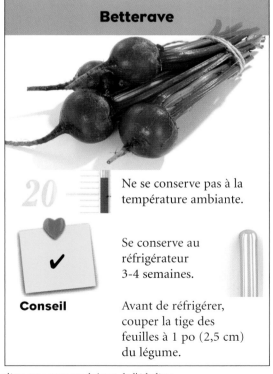

Ne se conserve pas à la température ambiante.

Se conserve au réfrigérateur 3-4 semaines.

Conseil Avant de réfrigérer, couper la tige des feuilles à 1 po (2,5 cm) du légume.

Note : ** et *** ne pas entreposer les fruits et légumes sensibles à l'éthylène avec ceux produisant de l'éthylène.

Brocoli

20

Ne se conserve pas à la température ambiante.

Se conserve au réfrigérateur 5 jours; placer dans un sac de plastique perforé dans le tiroir à légumes.

Conseils
** sensible à l'éthylène

Le gaz éthylène accélère le jaunissement des bourgeons du brocoli.

Céleri

20

Ne se conserve pas à la température ambiante.

Se conserve au réfrigérateur 2 semaines.

Conseils

Il absorbe les odeurs des pommes, carottes, oignons et poires.

Carotte

20

Ne se conserve pas à la température ambiante.

Se conserve au réfrigérateur 2 semaines (jeunes carottes), 1 semaine (carottes à pleine maturité).

Conseils

** sensible à l'éthylène
Avant d'entreposer, couper les fanes. Le gaz éthylène rend le goût de la carotte amer. Elle absorbe les odeurs des pommes et des poires.

Champignon

20

Ne se conserve pas à la température ambiante.

Se conserve au réfrigérateur 5 jours; dans un sac de papier.

Conseils

Il absorbe l'odeur des oignons verts. Avant d'utiliser, rincer à l'eau tiède (ne pas tremper) ou essuyer avec un linge humide ou une brosse à légumes. Le champignon morille requiert un lavement complet pour enlever le sable et autres particules. Ne pas empiler d'autres légumes sur le champignon car il s'écrase facilement.

Note : ** et *** ne pas entreposer les fruits et légumes sensibles à l'éthylène avec ceux produisant de l'éthylène.

Chou

Ne se conserve pas à la température ambiante.

Se conserve au réfrigérateur 2-3 semaines (chou vert, rouge), 1 semaine; enveloppé de façon serrée, dans un emballage plastique (chou de Chine).

Conseils ** sensible à l'éthylène
Le gaz éthylène accélère la séparation des feuilles et la perte de la couleur verte. Le chou absorbe les odeurs des pommes et poires.

Chou-fleur

Ne se conserve pas à la température ambiante.

Se conserve au réfrigérateur 1 semaine.

Conseil ** sensible à l'éthylène

Chou de Bruxelles

Ne se conserve pas à la température ambiante.

Se conserve au réfrigérateur 5 jours; placer dans un sac de plastique perforé dans le tiroir à légumes.

Conseils Le gaz éthylène accélère la séparation des feuilles et le jaunissement du produit.
** sensible à l'éthylène

Citrouille

Température 20° à 22°C

Se conserve 1 semaine; ne pas couvrir, placer dans un endroit sec, frais, sombre et bien aéré.

Couvrir et réfrigérer la citrouille coupée jusqu'à 5 jours.

Conseil *** producteur d'éthylène

Note : ** et *** ne pas entreposer les fruits et légumes sensibles à l'éthylène avec ceux produisant de l'éthylène.

Concombre

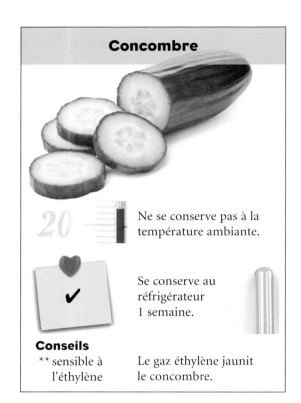

Ne se conserve pas à la température ambiante.

Se conserve au réfrigérateur 1 semaine.

Conseils

** sensible à l'éthylène

Le gaz éthylène jaunit le concombre.

Courge d'hiver

Se conserve à la température ambiante 1 semaine; ne pas couvrir, placer dans un endroit sec, frais, sombre et bien aéré.

Ne se conserve pas au réfrigérateur.

Conseils　　** sensible à l'éthylène

La courge de Hubbard et autres courges à pelure foncée jaunissent en présence de gaz éthylène. Les courges d'hiver ont une pelure épaisse qui doit être pelée avant la consommation. La plupart de ces courges doivent être épépinées.

Courge d'été

Ne se conserve pas à la température ambiante.

Se conserve au réfrigérateur 1 semaine. Couvrir et réfrigérer les portions coupées.

Conseils

*** producteur d'éthylène

Les courges d'été n'ont pas besoin d'être pelées. Leur pelure tendre ainsi que leurs graines sont comestibles.

Endive

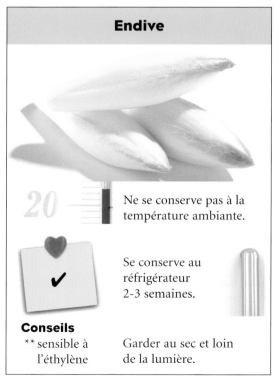

Ne se conserve pas à la température ambiante.

Se conserve au réfrigérateur 2-3 semaines.

Conseils

** sensible à l'éthylène

Garder au sec et loin de la lumière.

Note : ** et *** ne pas entreposer les fruits et légumes sensibles à l'éthylène avec ceux produisant de l'éthylène.

Épinard

20 — Ne se conserve pas à la température ambiante.

✔ Se conserve au réfrigérateur 2-4 jours.

Conseils
** sensible à l'éthylène

Le gaz éthylène augmente les taches roussâtres.

Germes

20 — Ne se conservent pas à la température ambiante.

✔ Se conservent au réfrigérateur 3-4 jours.

Conseil
Avant l'utilisation, bien rincer et essorer.

Herbes

20 — Ne se conservent pas à la température ambiante.

✔ Se conservent au réfrigérateur 4-7 jours, placer les tiges dans l'eau et couvrir d'un sac en plastique.

Conseils
La basilique fraîche est susceptible au froid, la ranger à l'avant du réfrigérateur et utiliser aussitôt que possible. Les herbes plus ferme telles que l'origan, le romarin et la sauge durent plus longtemps que les herbes délicates comme la basilique, le fenouil, la ciboulette.

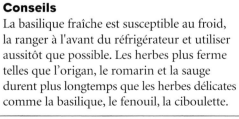

Gingembre frais

20 — Ne se conserve pas à la température ambiante.

✔ Se conserve au réfrigérateur 2 semaines.

Note : ** et *** ne pas entreposer les fruits et légumes sensibles à l'éthylène avec ceux produisant de l'éthylène.

Haricot

Ne se conserve pas à la température ambiante.

Se conserve au réfrigérateur 5 jours.

Conseils
** sensible à l'éthylène
Les haricots sont susceptibles au froid, ce qui engendre des fosses et des taches roussâtre sur la surface.

Maïs

Ne se conserve pas à la température ambiante.

Se conserve au réfrigérateur 2-3 jours; non épluchés, 1-2 jours; épluchés.

Conseils
Les épis épluchés doivent être réfrigérés et enveloppés dans une serviette humide.
Le maïs absorbe l'odeur des oignons verts. Il est préférable de le consommer aussitôt que possible une fois récolté car les sucres se convertissent rapidement en féculent.

Légume feuilles

Ne se conserve pas à la température ambiante.

Laitue : 1 semaine; laver avant d'entreposer au réfrigérateur. Autres laitues : 2-4 jours; ne pas laver avant d'entreposer.

Conseils
** sensible à l'éthylène   Le gaz éthylène augmente les taches roussâtres.

Navet

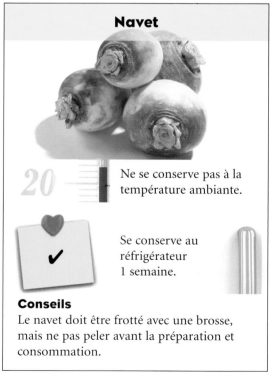

Ne se conserve pas à la température ambiante.

Se conserve au réfrigérateur 1 semaine.

Conseils
Le navet doit être frotté avec une brosse, mais ne pas peler avant la préparation et consommation.

Note : ** et *** ne pas entreposer les fruits et légumes sensibles à l'éthylène avec ceux produisant de l'éthylène.

Oignon

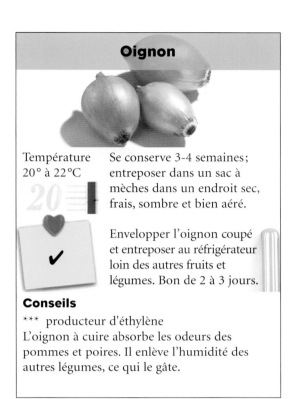

Température
20° à 22°C

Se conserve 3-4 semaines ;
entreposer dans un sac à
mèches dans un endroit sec,
frais, sombre et bien aéré.

✔

Envelopper l'oignon coupé
et entreposer au réfrigérateur
loin des autres fruits et
légumes. Bon de 2 à 3 jours.

Conseils

*** producteur d'éthylène
L'oignon à cuire absorbe les odeurs des
pommes et poires. Il enlève l'humidité des
autres légumes, ce qui le gâte.

Oignon vert et poireau

Ne se conservent pas à la
température ambiante.

✔

Se conservent au
réfrigérateur
1 semaine.

Conseil   *** producteur
d'éthylène

Oignon frais

Se conserve 1 semaine à
la température ambiante.

✔

Se conserve au
réfrigérateur
1 mois ; ne pas
couvrir.

Conseils

*** producteur d'éthylène
L'oignon frais a une teneur élevée en eau et
en sucre, ce qui le rend plus sucré et doux.
Sa durée de conservation est plus courte.

Panais

Ne se conserve pas à la
température ambiante.

✔

Se conserve au
réfrigérateur
3-4 semaines.

Note : ** et *** ne pas entreposer les fruits et légumes sensibles à l'éthylène avec ceux produisant de l'éthylène.

Patate sucrée

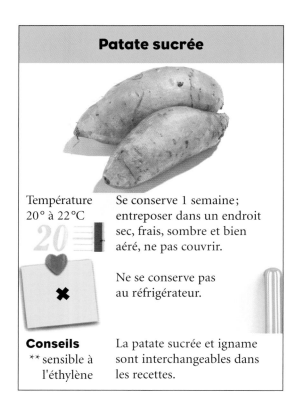

Température 20° à 22°C

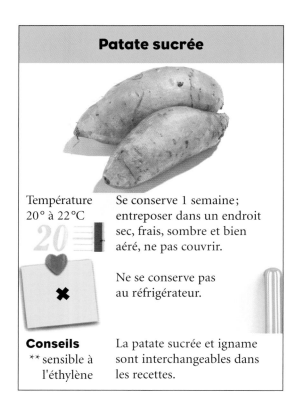

Se conserve 1 semaine; entreposer dans un endroit sec, frais, sombre et bien aéré, ne pas couvrir.

Ne se conserve pas au réfrigérateur.

Conseils
** sensible à l'éthylène

La patate sucrée et igname sont interchangeables dans les recettes.

Poivron

Ne se conserve pas à la température ambiante.

Se conserve au réfrigérateur 1 semaine; couvrir.

Conseil
** sensible à l'éthylène

Piment

Ne se conserve pas à la température ambiante.

Se conserve au réfrigérateur 1-2 semaines; couvrir.

Conseil
** sensible à l'éthylène

Pomme de terre nouvelle

Ne se conserve pas à la température ambiante.

Se conserve au réfrigérateur 1 semaine.

Note : ** et *** ne pas entreposer les fruits et légumes sensibles à l'éthylène avec ceux produisant de l'éthylène.

Pomme de terre mature

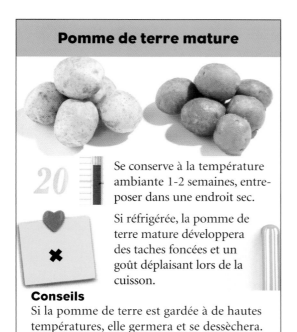

Se conserve à la température ambiante 1-2 semaines, entreposer dans une endroit sec.

Si réfrigérée, la pomme de terre mature développera des taches foncées et un goût déplaisant lors de la cuisson.

Conseils

Si la pomme de terre est gardée à de hautes températures, elle germera et se dessèchera. Exposée à la lumière, elle devient verte. Couper les parties vertes avant la cuisson.

Rutabaga

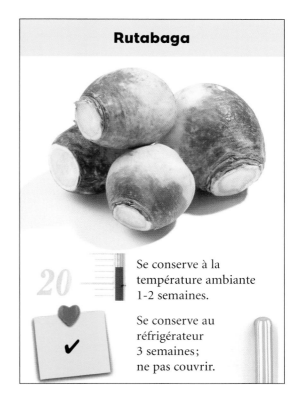

Se conserve à la température ambiante 1-2 semaines.

Se conserve au réfrigérateur 3 semaines ; ne pas couvrir.

Radis

Ne se conserve pas à la température ambiante.

Se conserve au réfrigérateur 2 semaines.

Conseil

Couper les fanes avant d'entreposer.

Tomate

Température 20° à 22°C

Se conserve 3-4 jours, ne pas couvrir, hors de la portée du soleil jusqu'à ce qu'elle soit mûre ; une fois mûre, consommer dans 1-2 jours.

La réfrigération arrête le mûrissement et affecte le goût.

Conseils
*** producteur d'éthylène

Ne réfrigérer que lorsqu'elle est très mûre.

Note : ** et *** ne pas entreposer les fruits et légumes sensibles à l'éthylène avec ceux produisant de l'éthylène.

LE TOP 11 DES MEILLEURS LÉGUMES À METTRE DANS SON CHARIOT

2. ASPERGE

Caractéristiques

Contient toutes les vitamines, sauf la vitamine E, ainsi qu'un large éventail de minéraux. Riche en acide folique, en potassium et en antioxydants, mais pauvre en calories (100 g en fournissent moins de 20). C'est le légume anti-âge par excellence.

Achat

Choisir des asperges avec des tiges fermes et cassantes, une tête compacte d'une couleur vive.

Disponibilité

Disponible de mai à juillet.

Bénéfices santé

- Elle protège contre le cancer ;
- Elle abaisse le taux de cholestérol ;
- Elle est dépurative et diurétique ;
- Elle protège des maladies cardiovasculaires ;
- Elle est reminéralisante.

1. AIL

Caractéristiques

L'ail renferme des vitamines A, B_1, B_2 et C et divers antibiotiques naturels dont l'ajoène.

Achat

Choisir des bulbes dodus et fermes, exempts de germes et de taches dont la pelure est intacte.

Disponibilité

Juillet, août, septembre et octobre.

Bénéfices santé

- Il protège contre le cancer ;
- Il prévient l'arthrite et soulage de ses douleurs ;
- Il est antiseptique ;
- Il diminue la tension artérielle.

Caractéristiques
Excellente source de vitamine A et C, potassium, acide folique, acide pantothénique, magnésium, fer et du phosphore.

Achat
Choisir les crucifères avec des têtes très fermes, fleurons serrés, sans taches.

Le chou doit être lourd et compact, aux feuilles brillantes. Garder au réfrigérateur jusqu'à 5 jours, sans laver.

Disponibilité
Disponible de juillet à novembre.

Bénéfices santé
- Ils diminuent les risques de cancer;
- Ils protègent contre les maladies cardiovasculaires;
- Ils stimulent le système immunitaire.

Le saviez-vous?
Dans la famille des crucifères : le chou romanesco, le chou vert, rouge ou frisé, le chou de Bruxelles, le chou-fleur et le brocoli.

4. CAROTTE

Caractéristiques

Crue ou cuite, c'est une excellente source de vitamine A, B_6, et C, de potassium, de thiamine, d'acide folique et de magnésium.

Achat

Choisir des carottes fermes et bien colorées. Il existe des variétés orange, blanches, jaunes, rouges, pourpres ou noires. Elles sont habituellement vendues sans les fanes (tiges et feuilles) qui se présentent fermes et bien vertes.

Disponibilité

Les carottes sont disponibles de janvier à mai. La carotte nouvelle est disponible de juin à septembre.

Bénéfices santé

- Elle réduit le cholestérol dans le sang;
- Elle renforce le système immunitaire;
- Elle reminéralise et tonifie;
- Améliore la vision dans l'obscurité.

5. COURGES

Caractéristiques

Elles sont colorées, nutritives et sont une excellente source de bêta-carotène, un composé au pouvoir antioxydant que l'organisme peut transformer en vitamine A. Elles sont aussi riches en folates, en vitamine C et en fibres.

Achat

Elles se conservent longtemps.

Disponibilité

Août, septembre, octobre et novembre. La courgette est disponible à partir de juillet, tandis que la citrouille et le potiron ne sont disponibles qu'en septembre et octobre.

Bénéfices santé

- Elles préviennent les affections cardiaques et pulmonaires;
- Elles diminuent les risques de cancer de l'endomètre.

6. ÉPINARD

Caractéristiques
Riche en vitamines A, B_6 et C, en acide folique, calcium, fer, riboflavine et magnésium.

Achat
Choisir des épinards d'un beau vert foncé aux feuilles tendres. Laver juste avant de consommer, sinon les feuilles perdent leur belle apparence.

Disponibilité
Disponible de juin à octobre.

Bénéfices santé
- Il combat la dépression;
- Il protège contre différents types de cancer;
- Il réduise le cholestérol sanguin;
- Il active les sécrétions du pancréas.

7. OIGNON ROUGE

Caractéristiques
Source majeure de quercétine, il possède une activité antioxydante supérieure aux autres oignons. Cru ou cuit, il contient du potassium, de la vitamine B_6 et C et de l'acide folique.

Achat
Rechercher des oignons fermes sans signe de germination ou de moisissures avec une pelure extérieure bien sèche, lisse et cassante. Ne pas les garder au réfrigérateur, l'odeur se communiquerait aux autres aliments. Les tenir éloignés des pommes de terre, car ils absorbent leur humidité, ce qui les fait pourrir et germer.

Disponibilité
Disponible à l'année.

Bénéfices santé
- Il abaisse le taux de glucose sanguin;
- Il abaisse le taux de LDL (mauvais cholestérol) et augmente le HDL (bon cholestérol);
- Il fluidifie le sang;
- Il freine le développement des cellules cancéreuses;
- Il prévient l'athérosclérose;
- Il traite les problèmes respiratoires.

8. PANAIS

Caractéristiques

Le panais est une excellente source de potassium et d'acide folique ; contient des vitamines B_1, B_2, B_3, B_5, B_6, C et E.

. . . .

Achat

Il doit être ferme, tendre et moins fibreux, bien dodu et d'un beau blanc crème. Éviter les panais mous, jaune foncé, tachés ou très gros. Le panais frais possède une jolie odeur de carotte accompagnée de notes discrètes d'anis, amande fraîche, navet de printemps.

. . . .

Disponibilité

Disponible à l'année, sauf en juin et en juillet.

. . . .

Bénéfices santé

- Il diminue les risques de cancer du côlon ;
- Il soulage les rhumatismes ;
- Il facilite la digestion.

9. PATATE DOUCE

Caractéristiques

De la famille des convolvulacées, riche en carotène, fibres, vitamines B_6, C et E, en acide folique et en potassium.

. . . .

Achat

Selon la variété, sa chair et sa pelure peuvent être blanches, jaunes, orange ou pourpres. Sélectionner des patates douces qui se distinguent par leur teinte orange vif intense. La conserver dans un endroit frais et sec.

. . . .

Disponibilité

Disponible pratiquement toute l'année.

. . . .

Bénéfices santé

- Elle abaisse le taux de sucre dans le sang ;
- Elle renforce la mémoire ;
- Elle diminue les risques de cancer ;
- Elle nettoie l'organisme ;
- Elle stimule le cerveau.

10. POMME DE TERRE

Caractéristiques

De la famille des solanacées, contient les vitamines B_1, B_3, B_6, niacine, riboflavine, folate et thiamine. Excellente source de vitamine C, aux propriétés anti-oxydantes et anti-inflammatoires. Contient également du calcium, phosphore, fer et magnésium, et constitue une excellente source de potassium.

Achat

Sélectionner des pommes de terre fermes, sans taches vertes ni germes.

Éviter de ranger avec les oignons car les deux vont germer.

Les conserver à la noirceur et à la fraîcheur pour éviter qu'elles ne verdissent et germent.

Disponibilité

Disponible toute l'année.

Bénéfices santé

- Elle abaisse la tension artérielle ;
- Elle combat le diabète ;
- Elle prévient certains types de cancer ;
- Elle soulage des rhumatismes ;
- Elle soulage des ulcères.

Le saviez-vous ?

Il existe de nombreuses variétés de pommes de terre. Pour obtenir les meilleurs résultats, choisir les variétés en fonction de leurs usages culinaires idéals : les pommes de terre à chair blanche sont excellentes bouillies, celles à chair jaune sont parfaites pour les purées, les rouges sont idéales en salade et en frites, et on utilise les pommes de terre de forme longue pour la cuisson au four.

II. TOMATE

Caractéristiques

Réduit le risque de certains cancers, notamment celui de la prostate (cuite) grâce à son contenu en lycopènes, un type de caroténoïdes. Bonne source de vitamine C.

· ·

Achat

Une bonne tomate mûre doit être ferme, sans meurtrissures, ni moisissures et lourde pour sa taille. Sa pelure doit être d'une belle couleur vive et brillante.

On la consomme fraîche (surtout en saison), dans les potages, les sauces à spaghetti et la pizza.

· ·

Disponibilité

La tomate des champs est disponible de juillet à octobre. La tomate de serre est disponible à l'année, sauf de novembre à décembre.

· ·

Bénéfices santé

- Cuite, elle diminue les risques de divers types de cancers;
- Elle réduit les effets nocifs des radicaux libres.

LE SAVIEZ-VOUS? Il y a des aliments particulièrement bénéfiques pour la santé de la prostate : l'ail et l'oignon. Les alliacés protègent contre le cancer de l'estomac, bien que l'ail en particulier soit reconnu protecteur contre le cancer colorectal.

Les aliments riches en saponine sont recommandés pour se prémunir du cancer parce que ces molécules se lient aux molécules toxiques ou au cholestérol et s'éliminent par les voies naturelles. Les végétaux contenant des fibres alimentaires protègent contre le cancer colorectal. La plupart des haricots et des légumineuses, riches en fibres, contiennent des saponines (pois chiches, haricots blancs et rouges, fèves et graines de soja, entre autres).

Les légumes et les fruits protègent contre les cancers de la bouche, du pharynx, du larynx, de l'œsophage et de l'estomac. Les fruits protègent également contre le cancer du poumon.

TRUCS POUR CONSOMMER PLUS DE LÉGUMES QUOTIDIENNEMENT

- Préparer des muffins à base de courgettes ou de carottes.

- Pour une sauce aux tomates express, faire revenir quelques gousses d'ail et un oignon hachés dans un peu d'huile d'olive. Ajouter des tomates fraîches grossièrement hachées (ou une boîte de tomates italiennes) et laisser mijoter une heure. Ajouter des feuilles de basilic frais ou séché.

- Ajouter des poivrons, céleris, tomates, oignons, petites fleurettes de brocoli à votre salade habituelle.

- Préparer une salade colorée contenant des légumes verts, orange et rouges, à laquelle on peut ajouter des fruits. Sur la salade d'épinard, par exemple, on laisse tomber des quartiers d'orange et des fraises, des clémentines ou encore des lanières de poivrons rouges.

- Introduire la soupe gaspacho au menu; consommée froide, elle est parfaite pour les journées chaudes d'été.

- Faire une soupe est une excellente façon de mélanger toutes sortes de légumes. On peut utiliser pommes de terre, patates douces, carottes, courges, rutabagas, chou-fleur, brocolis, poireaux ou asperges pour concocter une chaudrée savoureuse.

- Râper carottes, brocoli, champignons ou courgettes et les ajouter à la sauce aux tomates ou au chili.

- Placer des légumes coupés, des carottes pelées et coupées, des pois mange-tout ou des bâtonnets de céleri sur la tablette la plus en vue du réfrigérateur pour une collation toute prête.

- Ajouter des légumes dans un pain à la viande ou dans un burger. Il suffit de râper des carottes et des oignons, de couper finement des poivrons ou des champignons, par exemple, et les incorporer à la préparation de viande.

- Il est possible de cuire de nombreux légumes dans un poêlon ou dans un wok avec un peu d'huile d'olive. Faire revenir champignons, poivrons, épinards, pois mange-tout, courgettes ou autres, avec de l'oignon ou de l'ail, y ajouter bouillon de légumes ou de poulet et assaisonner avec sel, poivre, persil ou thym.

- L'omelette ou la frittata permettent de mélanger de nombreux légumes.

SMOOTHIE
aux légumes

Un smoothie aux légumes est rempli de bons nutriments, riche en vitamines A, C, et K, bêta-carotène, magnésium, calcium, fer, et fibres pour faire le plein de puissants antioxydants.

INGRÉDIENTS

1 tasse (250 ml) légumes (chou frisé, feuilles de bette à carde, cresson, etc.)
½ tasse (125 ml) fruits (fraises, myrtilles, açaï, mangue, ananas, etc.)
2 tasses (500 ml) eau
Herbes (persil, menthe ou basilic)

ÉTAPES

- Passer le tout au mélangeur et déguster !
- Pour diminuer la quantité de sucre, simplement réduire la quantité de fruits ou encore ajouter des graines de Chia pour diminuer de la glycémie.

SALADE
aux pommes de terre rouges et brocolis

INGRÉDIENTS

1 brocoli détaillé en bouquets égaux (conserver la tige pour un usage ultérieur)

1,75 lb (800 g) pommes de terre rouges, cuites *al dente*

½ lb (225 g) lardons ou de bacon, découpés en petits cubes

1 échalote sèche, hachée

1 c. à soupe (15 ml) moutarde de Dijon

3 c. à soupe (45 ml) huile d'olive

1 c. à soupe (15 ml) vinaigre de vin rouge ou vinaigre balsamique blanc

Sel, poivre

ÉTAPES

■ Mettre les pommes de terre lavées entières dans l'eau froide salée pour les cuire. Les couvrir quand commence l'ébullition, puis baisser le feu. Quand elles sont cuites, les passer à l'eau froide pour les peler, puis les couper en cubes. Cuire les bouquets de brocoli dans de l'eau bouillante pendant 2 à 3 minutes jusqu'à ce qu'ils soient tendres et les plonger immédiatement dans de l'eau glacée pour les refroidir, les égoutter et les tapoter avec un linge pour les sécher. Faire revenir les lardons dans un poêlon sans matière grasse jusqu'à ce qu'ils soient dorés. Dans un petit bol, préparer une vinaigrette à la moutarde et y ajouter l'échalote sèche hachée. Dans un grand saladier, mélanger délicatement les bouquets de brocoli, les pommes de terre, les lardons et la vinaigrette et servir tiède.

POTAGE
de légumes oubliés

ÉTAPES

- Éplucher tous les légumes, les tailler en grosses frites égales et les mettre au fur et à mesure dans un récipient empli d'eau froide pour éviter le noircissement. Dans une casserole à fond épais, mettre le bouillon de poulet, les légumes et amener à ébullition. Saler et poivrer, puis ajouter le gingembre. Cuire 25 minutes à feu doux. Réduire les légumes en purée au mélangeur jusqu'à l'obtention d'une consistance lisse. Ajouter la crème. Remixer. Pour éclaircir le potage ajouter du lait. Servir le potage chaud.

INGRÉDIENTS

2 panais

3 carottes

1 petit navet

1 tasse (250 ml) crème à 15 %

4 tasses (1 litre) bouillon de poulet

1 c. à thé (5 ml) poudre de gingembre

Sel et poivre

POTAGE
à la patate douce

ÉTAPES

- Faire suer l'oignon dans un peu d'huile, ajouter les patates douces et faire sauter 5 minutes. Ajouter le gingembre, le cumin, les graines de coriandre, la pâte de cari et faire sauter jusqu'à ce que les arômes se dégagent. Ajouter le bouillon de poulet et le lait de coco et amener à ébullition. Couvrir et mijoter à feu doux 18 à 20 minutes ou jusqu'à ce que les légumes soient très tendres. À l'aide d'un mélangeur, réduire en purée jusqu'à l'obtention d'une consistance lisse. Saler et poivrer au goût.

INGRÉDIENTS

1 c. à soupe (15 ml) huile végétale

1 gros oignon, haché fin

4 tasses (1 kg) patates douces, pelées coupées en cubes ½ po (1 cm)

1 c. à thé (5 ml) gingembre, frais haché

1 c. à thé (5 ml) cumin, moulu

1 c. à thé (5 ml) graines de coriandre, moulues

1 c. à thé (5 ml) pâte douce de cari indien

4 tasses (1 litre) bouillon de poulet

½ tasse (125 ml) lait de coco

Sel et poivre, fraîchement moulu

QUICHE
aux épinards,
aux champignons
et à la courgette

INGRÉDIENTS

1 abaisse de pâte à tarte du commerce

2 tasses (500 ml) épinards, cuits hachés

1 barquette champignons blancs, tranchés

1 courgette, en tranches

¼ tasse (60 ml) fromage gruyère, râpé

3 œufs, battus

1 tasse (250 ml) crème fraîche

1 pincée noix de muscade, râpée

Sel et poivre

ÉTAPES

- Chauffer le four à 375 °F (190 °C). Utiliser un moule à quiche de 9 po (23 cm) et de 1 ½ po (4 cm) de profondeur. Déposer l'abaisse dans le moule à quiche et précuire tel qu'indiqué sur l'emballage. Laisser refroidir.

- Faire revenir les épinards dans un peu de beurre et réserver. Faire revenir les champignons et la courgette. Réserver. Déposer les tranches de champignons, courgette, et épinards sur la pâte refroidie. Dans un saladier casser les 3 œufs, battre légèrement à la fourchette, ajouter la noix de muscade râpée, le gruyère, la crème, le sel et le poivre. Ajouter ce mélange sur les légumes, sans remuer. Cuire au four pendant 45 minutes.

TOMATES
farcies à la saucisse

INGRÉDIENTS

6 tomates moyennes mûres

La chair de 3 saucisses douces
ou italiennes

1 tasse (250 ml) mie de pain
(utiliser un pain de la veille et
retirer la croûte)

5 c. à soupe (75 ml) persil
italien, haché fin

4 à 5 gousses d'ail, haché

Sel et poivre du moulin

3 c. à soupe (45 ml) huile
d'olive extra vierge

3 c. à soupe (45 ml) chapelure
nature

ÉTAPES

- Couper la partie supérieure des tomates, les évider, les saler et les faire
  dégorger sur une grille, partie coupée vers le bas. Dans un grand bol,
  mélanger la chair de saucisse crue, la mie de pain, l'ail et le persil
  haché fin. Saler et poivrer. Farcir les tomates avec la préparation, garnir
  avec la chapelure et déposer dans le plat dans lequel on a versé les
  3 c. à soupe (45 ml) d'huile d'olive afin d'éviter que les tomates ne
  collent. Cuire au four à 375 °F (190 °C) pendant environ 45 minutes
  jusqu'à ce que la farce soit cuite.

VARIANTE

- On peut utiliser la farce pour farcir des courgettes, des poivrons, etc.

Cubes d'agneau

Diced Lamb

Bœuf à braiser

Braising Beef

Côtelettes de porc

Pork Chops

...paule de porc

Pork ...

Rôti de veau

Veal Roast

LES VIANDES
et les coupes à privilégier

Bœuf à la Thaï   *p.108*

Mijoté de porc *p.114*

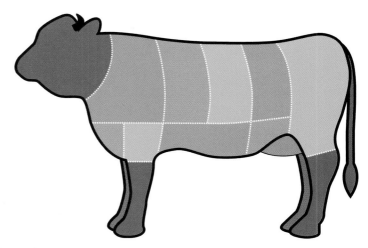

Dans la famille des viandes, on classe le bœuf, le veau, l'agneau, le porc, le gibier et la charcuterie. Elles offrent un apport élevé en protéines et fournissent plusieurs vitamines et minéraux comme la vitamine B_{12} et d'autres vitamines du complexe B, le fer, le zinc, le magnésium et le sélénium. Une portion moyenne de viande ou de substitut de viande est généralement de la dimension de la paume de votre main et de l'épaisseur de celle de votre petit doigt.

La majorité des viandes contiennent des graisses saturées et insaturées. Plus une viande est grasse, plus sa teneur en graisses saturées sera élevée. Étant donné que les graisses saturées sont reconnues pour faire augmenter les niveaux sanguins de cholestérol LDL (« mauvais » cholestérol), ainsi que le risque de maladies cardio-vasculaires, il vaut mieux opter pour des coupes maigres.

Le bœuf

Il y a différentes catégories dans le bœuf : la première catégorie, la classe A, est attribuée au jeune bœuf âgé entre 16 et 18 mois tandis que la catégorie B est attribuée à une viande de moins bonne qualité. C'est celle qu'on transforme en cubes, viande hachée ou saucisses.

Pour ceux qui surveillent leur consom-mation de gras animal et leur cholestérol, les viandes de catégorie A sont moins grasses que celles de catégorie AAA et moins chères, mais sont moins goûteuses et juteuses parce que moins persillées. Si vous êtes perplexes devant le comptoir des viandes, choisissez un morceau de bœuf de couleur foncée ou rouge foncé : c'est habituellement la meilleure façon de s'assurer que le morceau de viande a été emballé et surgelé peu de temps après avoir été coupé. Évitez les morceaux de viande dont la couleur tire sur le brun : cela veut habituellement dire qu'ils se trouvent dans le comptoir depuis un bon bout de temps.

Comment cuire la coupe choisie ?

Braiser, c'est-à-dire cuire une pièce de viande dans un milieu humide avec un couvercle fermé permet de libérer les tissus conjonctifs et les collagènes. On utilise surtout des parties de l'épaule comme la côte croisée et le bas de palette.

Les muscles de locomotion des pattes, de l'épaule et du cou travaillent plus et sont donc plus coriaces que les muscles de support comme ceux de la longe ou des côtes. Par contre, on y trouve du persillage plus ou moins visible dans le muscle et des tissus conjonctifs. Ces matières grasses gagnent à être cuites longtemps parce qu'elles se transforment en gélatine pendant la cuisson donnant un goût particulier au bouillon.

Les coupes de bœuf se divisent en deux grandes sections : les viandes à cuisson rapide et les viandes à cuisson lente. Les premières sont de meilleure qualité que les secondes, mais leur prix est plus élevé. Les viandes à cuisson rapide incluent les biftecks, les steaks minute, les chateaubriands, les tournedos, l'entrecôte, la côte de bœuf et les rôtis.

Les viandes à cuisson lente sont sélectionnées dans des parties moins tendres de l'animal et seront habituellement découpées en petits morceaux par le boucher et étiquetées "bœuf à mariner" ou "bœuf en cubes".

Coupes tendres	Coupes peu tendres	Coupes très peu tendres
Contre-filet	Bas de surlonge	Bas de palette
Côtes d'aloyau	Croupe	Côtes croisées
Côtes	Extérieur de ronde	Épaule
Faux-filet	Intérieur de ronde	Haut de palette
Filet mignon	Noix de ronde	Palette
Haut de surlonge	Pointe de surlonge	Pointe de poitrine
Rôtir au four à 275 °F (140 °C) ou à 325 °F (170 °C)	**Rôtir au four** à 275 °F (140 °C)	**Mijoter au four en pot-au-feu** à 275 °F (140 °C) ou à 325 °F (170 °C)

3 choses déterminent la façon de cuire un morceau de viande

La qualité de la coupe
L'âge de l'animal (un animal jeune est plus tendre qu'un animal plus âgé)
La partie de l'animal d'où provient le morceau de viande

Le bœuf haché, comment s'y retrouver ?

Dans les supermarchés, on trouve 5 sortes de bœuf haché : l'extra maigre ; le maigre ; le mi-maigre ; le maigre frais et décongelé ; le mi-maigre frais et décongelé, dont les prix varient. Les parties décongelées peuvent provenir du désossage de pièces de viande et de retailles. Une fois l'emballage ouvert, le temps de conservation du bœuf est assez court. Il est préférable de le consommer le jour même ou le lendemain ou encore de le congeler immédiatement pour une consommation ultérieure. Le bœuf haché maigre et décongelé est constitué à parts égales de parures fraîches et de parures décongelées, ce qui explique la couleur rouge de la viande, tandis que le bœuf haché mi-maigre frais et décongelé est constitué d'un mélange de viandes fraîches et décongelées, dont le gras est plus visible et dont la couleur rouge est moins intense.

Le bœuf se conserve entre 2 et 3 jours au réfrigérateur. La viande hachée devrait être consommée le jour même. La viande cuite se conserve 4 jours. Au congélateur, la viande se conserve environ 3 mois. Mieux vaut laisser la viande refroidir au réfrigérateur avant de la placer au congélateur: on évite ainsi certaines contaminations bactériennes.

La coupe française

On retrouve parfois la coupe française dans nos épiceries et boucheries artisanales.

Pour le bœuf :

- **Le collier** et le plat de côtes sont destinés aux cuissons lentes (plats mijotés, bouillis, effilochés) ;

- **La poitrine** se fait bouillir ou hacher. Les tendrons et les macreuses servent pour le pot au feu et le flanchet est utilisé pour les farces ;

- **Le biftecks** se prépare en grillades et en brochettes (viande foncée et maigre, surnommée « noix » ou « boule » à griller ou à poêler) ;

- **La côte** et **l'entrecôte** sont persillées et font de belles grillades, mais sont coûteuses ;

- **Le jumeau à pot-au-feu** et **le paleron** sont des coupes de viande gélatineuse qui se cuisent lentement et s'utilisent pour les braisés, les carbonades, les daubes et le bœuf mode ;

- **Les basses-côtes** sont plus fermes que les côtes et demandent une cuisson plus longue ;

- **Le faux-filet** est moins tendre que le filet, mais plus savoureux, à la texture proche de l'entrecôte, mais moins persillé ;

- **Le filet** est le plus tendre des morceaux. Il est entier pour un rôti. Le cœur sert pour les chateaubriands, la tête pour les steaks et la pointe donne de petits tournedos ;

- **Le rumsteak** est une viande à fibres courtes et très tendre qu'on mange grillée ou rôtie ;

- **Le tende de tranche** est une grosse pièce de la cuisse, dont l'artisan fait de bons biftecks, du rôti, parfois des steaks hachés et surtout les morceaux du boucher : l'araignée, la poire et le merlan ;

- **La tranche** : le rond de tranche se cuisine en médaillons, le mouvant en rosbif et le plat de tranche en brochettes ;

- **Le gîte à la noix** peut être braisé ou rôti. Le rond de gîte, au coût raisonnable, se cuisine en carpaccio ;

- **Les gîtes**, aussi appelés jarrets, se préparent bouillis ou en pot au feu ;

- **L'aiguillette baronne**, longue et conique, est destinée aux rôtis ou aux steaks ;

- **L'onglet et la hampe** se préparent tous deux en biftecks, au grill ou à la poêle. L'onglet est plus tendre que la hampe ;

- **La bavette** est une viande très tendre.

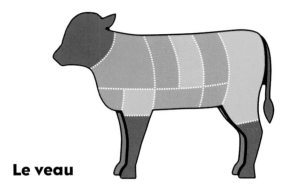

Le veau

Le veau de lait est nourri exclusivement de lait en poudre reconstitué, ce qui lui donne une chair rosée presque blanche et très tendre, tandis que le veau de grain est nourri principalement au maïs. La viande est un peu plus rosée que celle du veau de lait et au toucher, la viande doit être ferme et élastique d'une odeur agréable. Le gras doit être ferme et blanc. Cette méthode d'élevage permet aux producteurs d'offrir aux consommateurs une viande savoureuse, tendre et délicate. Le veau de lait est 35 % plus cher que le veau de grain. Qualifié de viande extra-maigre, le veau représente également une excellente source de vitamine B_{12}, de zinc, de magnésium et de fer.

On utilise de préférence le veau de lait pour les escalopes, les médaillons, les côtelettes, les contre-filets et les filets ainsi que pour les tranches de surlonge, d'œil de ronde, de cuisseau et de faux-filet.

Les coupes populaires, comme les rôtis, les escalopes, les tournedos et les filets, proviennent de la ronde alors que la surlonge fournit des pièces savoureuses comme les médaillons ou les rôtis de surlonge.

Les morceaux situés à l'avant de l'animal et le bas de la fesse nécessitent une cuisson plus longue, comme le braisage, le rôtissage ou le mijoté. Mieux vaut choisir du veau de grain. On tire de l'épaule de l'animal des morceaux goûteux et économiques idéaux pour concocter des plats mijotés, tandis que les carrés de veau sont prélevés des côtes.

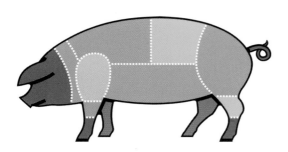

Le porc

En plus d'être délicieux, le porc est une excellente source de protéines et de vitamines du complexe B. Le porc offre plus de vitamine B que les autres viandes. Il est riche en zinc, en potassium et est une bonne source de phosphore. Comment choisir un morceau de porc? La viande doit être ferme au toucher et de couleur rose ou blanche. La couleur de la viande varie en fonction de la coupe; par exemple, la longe sera plus blanche que l'épaule. Si le morceau de viande est de couleur grisâtre, ne pas l'acheter. Comme pour le bœuf, plus la viande est persillée, plus la viande est tendre après la cuisson. Avant de réfrigérer la viande achetée, retirer l'emballage et la réemballer librement afin qu'elle puisse respirer. Ne pas attendre plus de deux jours pour cuire des morceaux de viande plus petits et conservés au réfrigérateur.

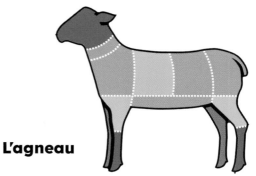

L'agneau

L'agneau est une viande très tendre, riche en potassium, phosphore et vitamines B. Elle est facile à digérer. Il existe différentes sortes d'agneau : l'agneau de lait (ou agnelet) est un animal âgé d'environ 2 mois nourri presque exclusivement au lait maternel. Sa chair est exceptionnellement tendre et délicate. L'agneau lourd est élevé en bergerie à l'abri des intempéries. Son alimentation est composée de grains et de fourrage. Sa chair est tendre et sa saveur est plus accentuée que celle de l'agneau de lait. Il est disponible toute l'année.

À l'achat, la viande doit être bien ferme, souple sous les doigts, rosée et brillante avec des marbrures visibles. Des marbrures abondantes caractérisent les morceaux les plus savoureux. Le grain doit être fin à la coupe et sans odeur prononcée. La graisse doit être ferme, blanche et cireuse et former une couche régulière. Ne jamais prendre des morceaux qui sont entourés d'une graisse jaune.

L'agneau se consomme légèrement saignant, grillé en surface et rosé au centre. Les marinades à base de yaourt conviennent bien à ce type de viande. On peut enduire la viande d'huile ou la faire mariner avant de la cuire. L'agneau trop cuit donnera une viande sèche et dure.

Pour connaître l'état de la cuisson de l'agneau, il suffit d'y planter une aiguille ou un couteau et de le poser sur le dos de la main, s'ils sont tièdes tirant sur le chaud, la viande est rosée à point. Frais, l'agneau se conserve environ 3 jours au réfrigérateur, et 1 ou 2 jours s'il est haché. Au congélateur, il se conserve de 8 à 10 mois en morceaux ou, s'il est haché, 2 à 3 mois.

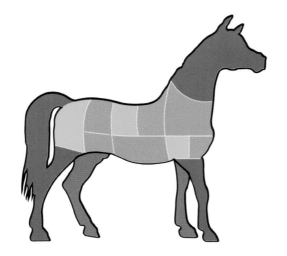

Le cheval

Moins cher que la viande de bœuf, la viande de cheval est riche en protéines et en fer, et a l'avantage d'être plus maigre. Son goût est fin, sucré, moins prononcé que le bœuf et demande un peu plus d'assaisonnement. On retrouve presque les mêmes coupes dans la viande de cheval que pour tous les animaux : le faux-filet, le filet mignon, les steaks de surlonge, les bavettes, les hampes, l'épaule, etc. Le cheval se cuisine de la même manière que le bœuf. Grillé ou au poêlon pour les morceaux tendres, mais la cuisson est plus longue pour les bas morceaux.

La volaille

Sont considérés comme volaille : caille, poulet, poule, coq, coquelet, canard, dinde, oie, pintade, mais aussi le lapin. Plus une volaille est grosse, meilleure elle est. Lors de l'achat, on contrôle son origine, la nature et la catégorie du morceau, la date de conditionnement, la date de vente.

Le poulet est la viande la plus consommée dans le monde. La viande de poulet est riche en protéines, en fer et pauvre en lipides. Sa graisse est concentrée sous la peau, il suffit de l'enlever pour obtenir une viande dite maigre. Les volailles maigres sont : poulet, dinde, pintade et le lapin. Elles contiennent en moyenne 6 % de lipides et les cailles 9 %. Ces lipides contiennent de bonnes proportions d'acides gras insaturés bénéfiques pour le système cardiovasculaire. Les volailles contiennent des vitamines du groupe B, mais sont pauvres en fer.

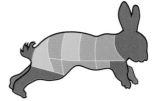

Le lapin

Son goût rappelle celui du poulet de plusieurs manières ; c'est une viande blanche avec une texture similaire qui a un goût plus riche sans toutefois être trop prononcé. Il est aussi facile à cuire ; il se braise comme il se grille, mais attention de ne pas l'assécher. La viande de lapin conjugue une faible teneur en sodium et une forte teneur en potassium, de bonnes quantités de sélénium, un antioxydant reconnu, riche en vitamine B_3 (75 % des besoins journaliers), en vitamine B_{12} (près de 100 % des besoins journaliers), en vitamine E, et se caractérise par une très forte proportion d'acides gras polyinsaturés (plus de 25 %, ce qui est très supérieur aux autres viandes). Son taux de cholestérol est inférieur à 60 mg pour 100 g de viande. Le lapin ne transforme pas les graisses de son alimentation, à l'inverse de ce qui se passe pour un ruminant comme le bœuf ou l'agneau. C'est pour cette raison que les lipides du lapin sont composés à plus de 60 % par des acides gras insaturés, par opposition aux acides gras saturés qui favorisent l'apparition de maladies cardio-vasculaires. Sa viande est idéale pour ceux qui surveillent leur ligne parce qu'elle est pauvre en cholestérol, maigre, peu calorique, nutritive, et à teneur élevée en Oméga 3 (120 à 160 kcal/ 100 g).

L'autruche

L'autruche est une viande maigre et très tendre, étonnante par sa chair de couleur rouge vif et sa texture d'une extrême finesse. Son goût s'apparente à celui du bœuf. Cette viande est riche en protéines (20 à 22 %), phosphore, fer, magnésium, potassium, et possède une très faible teneur en cholestérol. Les amateurs de viande rouge, prédisposés au risque cardio-vasculaire, trouvent dans cette viande l'aliment idéal, car elle est diététique, énergétique et tendre.

ÉCONOMISER

- Pour économiser, on peut acheter de la viande qui expire la journée même puisqu'elle est mise en vente à 30 % ou même à 50 % de son prix dans certaines épiceries. On peut la préparer et ensuite la congeler. Attention de ne pas acheter de la viande déjà décongelée !

- Congeler des portions individuelles de poulet, de bifteck ou de porc dans des sacs de plastique. Elles décongèlent plus rapidement et vous pouvez en décongeler une ou plusieurs portions à la fois, selon vos besoins.

- L'achat de la viande en grandes quantités est plus abordable que l'achat en plus petites portions. Couper ou séparer la viande en portions pratiques, dans des sacs pour congélateur afin d'obtenir des repas rapides et sains.

- Cuire de grandes quantités de bœuf haché, congeler dans des sacs séparément et utiliser pour différents repas, comme la sauce à spaghettis, les tacos, le pâté chinois, ou le chili *con carne*.

- Pourquoi ne pas congeler la viande et la marinade dans des sacs de congélation ? Pendant la décongélation au réfrigérateur, la marinade s'imprégnera bien dans la viande qui n'en sera que plus savoureuse.

CONGÉLATION

Régler la température du congélateur à 0 °F (-18 °C). Attention à ne jamais recongeler un produit déjà congelé ou surgelé. Consommer d'abord les aliments congelés depuis le plus longtemps. Aussi, ne jamais rompre la chaîne du froid : au magasin, on place ses surgelés dans une glacière ou un sac isotherme et on les range dans le congélateur dès notre retour. Éviter d'acheter surgelé en cas de longs trajets ou des grosses chaleurs.

Utiliser des sacs en plastique non réutilisables, de l'aluminium épais pour éviter les déchirures, et du film plastique des barquettes en aluminium propres, des boîtes en plastique (laisser au moins 1 cm d'espace sous le couvercle : en se congelant, les aliments augmentent de volume).

Congélation de la viande		Durée
Bœuf (morceaux, steaks)	Congeler à plat	8 mois
Bœuf (rôti, côtes)	Emballer dans du papier aluminium épais	8 mois
Bœuf (haché)	Congeler rapidement. Placer dans un sac en plastique refermable, aplatir la viande pour empiler les portions qui décongèleront plus rapidement.	3 mois
Agneau	Comme pour le bœuf	6 mois
Veau	Comme pour le bœuf	4 mois
Porc (morceaux, côtelettes)	Congeler à plat	6 mois
Porc (haché, farce)	Dans des barquettes	3 mois
Porc (saucisses)	À plat dans un sachet	1 mois
Poulet (cuisses)	Congeler à plat	12 mois
Poulet (entier)	Couper le poulet entier en morceaux. Ainsi, il congèlera et décongèlera plus rapidement ; de plus, c'est souvent moins cher que l'achat de morceaux individuels. On peut aussi couper des morceaux de poulet cuit et les congeler afin de les intégrer ultérieurement à la préparation de salades et de pâtes. Préparer votre propre bouillon de poulet (voir recette p. 29). Il aura meilleur goût que les versions achetées en magasin et contiendra moins de sel. Le congeler dans un bac à glaçons puis déposer dans un sac de congélation.	12 mois

De bonnes idées !

✔ Des aliments mal emballés ou conservés trop longtemps au congélateur perdent leur humidité, ce qui cause la formation de taches blanches ou grises sur la viande. Cela ne signifie pas que la viande est gâtée, mais plutôt que sa qualité est diminuée. Pour congeler, on laisse les emballages d'origine qui ont l'intérêt de comporter des conseils d'utilisation et une date limite de consommation. Sinon on colle une étiquette où seront indiqués le contenu et la date de congélation. On ne congèle que des aliments froids, sous peine de voir apparaître du givre. L'emballage doit être étanche et vide d'air pour éviter une perte d'humidité.

DÉCONGÉLATION

Décongeler les aliments en les mettant au réfrigérateur, au micro-ondes ou directement du congélateur au four.

CUISINER LA VIANDE : le vocabulaire

Mijoter/Bouillir : Plonger entièrement la viande dans un liquide et cuire longuement à petits frémissements.

Braiser : Faire revenir la viande puis cuire dans un peu de liquide très doucement et très longtemps pour qu'elle devienne tendre et savoureuse.

Griller : Saisir la viande à haute température sur un gril. Badigeonner les morceaux de graisse et arroser souvent pour qu'ils gardent tout leur mœlleux. On peut également les faire mariner.

Poêler : Saisir la viande puis cuire à haute température dans de la matière grasse. Après avoir posé les pièces de viande dans un poêlon chaud, les dorer de chaque côté afin de caraméliser le sel et les sucs des viandes et d'éviter de perdre le jus qui apporte le mœlleux.

Rôtir : Cuire la viande au four avec peu ou pas de matière grasse. Pour un rôti à la fois doré, croustillant et juteux, saisir le morceau à feu vif de toutes parts dans une cocotte en début de cuisson.

CUISINER LES RESTES

S'il reste un peu de viande (cuisse ou blanc de poulet, veau, lapin ou encore jambon), hacher le reste de viande, préparer une béchamel un peu épaisse à laquelle on ajoute du fromage râpé et mélanger. Déposer la préparation dans un petit plat à gratin, saupoudrer de chapelure et mettre au four. Idéal pour un lunch vite fait !

POUR NE JAMAIS RATER LE RÔTI DE BŒUF

Sortir la viande du réfrigérateur au moins 2 heures avant sa cuisson, saler très légèrement

avant de la faire « croûter » à feu vif dans une poêle avec beurre + huile, puis finir la cuisson dans un four très doux préchauffé (250 °F ou 120-140 °C). Compter 20 minutes par kg (2,2 lb) de rosbif pour une viande saignante à point. On préchauffe le four pour le bœuf et l'agneau, tandis qu'il est froid pour le veau et le porc. Avant de servir, on laisse reposer la viande sous papier d'aluminium quelques instants pour qu'elle soit bien juteuse.

POUR UN BBQ PARFAIT

Huiler très légèrement les biftecks et les saler, si désiré, mais **juste avant la cuisson** pour ne pas perdre de jus. Ne pas mettre d'épices (on les ajoutera en fin de cuisson pour éviter qu'elles ne brûlent).

Régler le barbecue au gaz à puissance moyenne-élevée et huiler la grille. Cuire jusqu'à ce que le bifteck se décolle facilement. Ne retourner la viande qu'une seule fois avec une pince (ne pas piquer la viande avec une fourchette qui lui ferait perdre son jus).

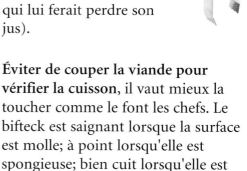

Éviter de couper la viande pour vérifier la cuisson, il vaut mieux la toucher comme le font les chefs. Le bifteck est saignant lorsque la surface est molle; à point lorsqu'elle est spongieuse; bien cuit lorsqu'elle est ferme.

Couvrir de papier d'aluminium sans serrer et laisser reposer 5 minutes pour permettre aux jus de se répartir dans la viande.

MARINER LA VIANDE

Il est préférable de mariner certaines pièces de bœuf telles que la pointe de surlonge, le flanc, l'intérieur de ronde, l'extérieur de ronde et la noix de ronde avant la cuisson en raison de leur tendreté moyenne. La présence d'un acide (jus de citron ou d'agrumes, vin ou vinaigre) aide à ramollir les tissus plus fermes de la viande alors que l'huile sert à faire adhérer la marinade à la viande. En ce qui concerne les autres viandes, comme le poulet ou le porc, la marinade sert plutôt alors d'assaisonnement. Pour cette raison, aucun ingrédient acide n'est nécessaire. Utiliser des herbes fraîches, de l'ail, du gingembre, des huiles aromatisées (sésame, noix), de la sauce tamari ou des zestes d'agrumes. Étant donné que la marinade n'agit que sur les muscles qu'elle atteint, il est préférable de piquer la viande à l'aide d'une fourchette pour permettre à la marinade d'en pénétrer le centre.

Afin de bénéficier au maximum d'une marinade, il faut lui donner le temps d'agir sur la viande : moins le morceau est tendre ou plus il est gros, plus il faudra le laisser mariner longtemps.

- Utiliser un plat non métallique de dimension semblable à la pièce de viande ou un sac de plastique épais et hermétique.

- Toujours mariner au réfrigérateur et tourner la viande de temps en temps afin que toutes les surfaces soient exposées à la marinade.

- Piquer la viande pour permettre à la marinade d'en pénétrer le centre.

- Égoutter la viande avec soin avant de la placer sur le grill.

- Décongeler la viande dans la marinade, calculer suffisamment de temps pour la décongélation de même que pour l'attendrissage.

- Moins le morceau est tendre ou plus il est gros, plus il faudra le laisser mariner longtemps.

MARINADES

Marinade pour le poulet

INGRÉDIENTS

½ c. à thé (2,5 ml) poivre
1 ½ tasse (300 ml) jus de tomate
¼ c. à thé (1,25 ml) moutarde sèche
4 c. à thé (20 ml)
   sauce Worcestershire
1 feuille de laurier
½ tasse (125 ml) vinaigre de malt
   ou vinaigre de vin
3 gousses d'ail, émincées
3 c. à soupe (45 ml)
   huile d'olive ou de colza

ÉTAPE

- Mariner le poulet en cubes dans cette marinade quelques heures au réfrigérateur.

Marinade pour le bœuf

INGRÉDIENTS

1 c. à thé (5 ml) sauce Worcestershire
½ tasse (125 ml) vin rouge
½ c. à thé (2 ml) sel
1 c. à thé (5 ml) sucre
1 c. à soupe (15 ml) huile
2 c. à soupe (30 ml) sauce chili
1 gousse d'ail, hachée
½ c. à thé (2,5 ml) thym
½ c. à thé (2,5 ml) poivre

ÉTAPE

- Mélanger les ingrédients et ajouter le bœuf. Laisser mariner au réfrigérateur au moins 24 heures.

Marinade pour le porc

INGRÉDIENTS

2 c. à soupe (30 ml) huile d'olive
1 c. à soupe (15 ml) jus de citron
1 c. à soupe (15 ml) moutarde de Dijon
1 c. à soupe (15 ml) sauce soja
2 gousses d'ail, écrasées
1 c. à thé (5 ml) basilic séché
   ou frais
1 c. à thé (5 ml) origan

ÉTAPES

- Mélanger tous les ingrédients et ajouter le porc (filet, côtelettes, etc.). Réfrigérer pendant au moins 2 heures puis cuire au BBQ.

Marinade pour l'agneau

INGRÉDIENTS

3 gousses d'ail
½ c. à soupe (7 ml) thym, séché
½ c. à soupe (7 ml) poivre
1 c. à soupe (15 ml) sel
1 c. à soupe (15 ml) moutarde de Dijon
¾ tasse (180 ml) huile d'olive
2 c. à soupe (30 ml) vinaigre de vin
3 feuilles laurier
2 c. à soupe (30 ml) jus de citron
2 c. à soupe (30 ml) menthe, séchée
2 lb (900 g) cubes d'agneau

ÉTAPES

- Mélanger tous les ingrédients et y ajouter l'agneau. Laisser mariner au réfrigérateur pendant au moins 4 heures. Cuire au BBQ.

FRICASSÉE

INGRÉDIENTS

1 c. à soupe (15 ml)
  huile d'olive
1 carotte, en morceaux
1 oignon, émincé
3 ou 4 patates, pelées
  coupées en cubes
Restes de rosbif, en cubes
Reste de sauce à rosbif
1 tasse (250 ml) bouillon
  de bœuf chaud
½ tasse (125 ml) vin
  rouge (facultatif)
Persil, poivre, ciboulette
  (pas de sel ou très peu)

ÉTAPES

■ Découper les restes du rôti de bœuf en bouchées.
Dans une sauteuse, dans un peu d'huile, faire revenir
l'oignon et la carotte. Ajouter le reste de la sauce à
rosbif, le bouillon de bœuf chaud, le vin rouge puis
assaisonner et cuire pendant quelques minutes.
Pendant ce temps, cuire les pommes de terre coupées
en cubes (elles doivent être encore fermes). Mélanger
patates, oignons, carottes et ajouter les restes du rôti
au dernier moment.

SOUPE
tonkinoise au bœuf

INGRÉDIENTS

Épices et aromates :

2 à 3 anis étoilés
2 à 3 bâtonnets de cannelle
1 boule de muscade
4 à 5 clous de girofle
2 c. à soupe (30 ml)
   graines de coriandre
4 à 6 po (10 à 15 cm) gingembre
   non pelé, grillé
2 oignons, grillés

Viande :

1 queue de bœuf ou quelques morceaux
   d'os de bœuf (2-3)
1 carcasse de poulet
Eau pour couvrir
Au goût : sauce de poisson (1 portion
   de sauce pour 8-9 portions d'eau)

Servir la soupe avec :

Fèves germées
½ lb (250 g) filet de bœuf tranché
   finement ou morceaux de poulet cru
Chair de queue de bœuf
1 petit oignon, tranché finement
4 échalotes vertes, coupées finement
¼ de botte de coriandre thaïlandaise
   fraîche, effeuillée
¼ de botte de basilic thaïlandais
Poivre du moulin
Vermicelles de riz de 3 à 4 mm de large

ÉTAPES POUR LE VERMICELLE

- Tremper préalablement les
  vermicelles dans l'eau froide pendant
  15 à 20 minutes.
- Bouillir de l'eau dans une marmite
  et cuire les vermicelles pendant
  1 à 2 minutes.

ÉTAPES

- Dans un poêlon, rôtir légèrement
  les épices et réserver. Griller les
  oignons et le gingembre. Dans une
  grande marmite, couvrir la viande
  d'eau et faire cuire à faible ébullition
  jusqu'à ce que la viande de la queue
  de bœuf se sépare de l'os (environ
  3 à 4 heures). Sortir la viande du
  bouillon et réserver. À cette étape,
  refroidir le bouillon et le dégraisser.

SERVICE DE LA SOUPE

- Placer les vermicelles chauds dans
  un bol avec les fèves germées.
  Ajouter les tranches de filet de bœuf
  ou de poulet crus, la viande de la
  queue de bœuf et les oignons.
  Verser le bouillon bouillant sur la
  viande. Ajouter les échalotes, la
  coriandre et le basilic thaïlandais.
  Poivrer, au goût.

BŒUF
à la Thaï

ÉTAPES

- Mariner la viande 15 à 20 minutes dans la sauce soja et l'ail pilé puis la saisir 2 à 3 minutes de chaque côté. La laisser reposer quelques minutes sous une feuille de papier aluminium et la couper en lamelles de ½ po (1 cm) d'épaisseur. Dans un poêlon, préparer la sauce en associant la marinade filtrée, le jus des citrons verts, le piment coupé finement, les échalotes, les oignons verts ciselés et le sucre. Cuire 2 minutes. Ajouter ensuite les feuilles de coriandre et de menthe ciselées. Servir la viande nappée de sauce Thaï et accompagnée de haricots verts plats cuits à la vapeur.

INGRÉDIENTS

600 g faux-filet
2 échalotes sèches
2 oignons verts
2 citrons verts
1 bouquet de coriandre, fraîche
1 bouquet de menthe, fraîche
1 piment oiseau ou Sambal Oelek
   ou tabasco
1 à 2 c. à soupe (15 à 30 ml)
   cassonade
1 pincée de sel

MARINADE

2 gousses d'ail, pilées
3 c. à soupe (45 ml) sauce soja

JOUES
de veau au vin rouge et champignons

INGRÉDIENTS

2 joues de veau par personne
1 c. à soupe (15 ml) huile d'olive
1 tasse (250ml) lardons, coupés en
   petits cubes ou bacon ou pancetta
   douce
8 gousses d'ail, en chemise avec la peau
1 bouteille vin rouge
3 branches romarin
3 branches thym
Sel et poivre du moulin

Garniture : Poêlée de champignons

INGRÉDIENTS

2 tasses (500 ml) champignons
   au choix (Portobello, King Oyster,
   pleurote, champignons blancs)
½ oignon espagnol, émincé
2 gousses d'ail, émincées
Sel, poivre du moulin
1 c. à soupe (15 ml) huile olive

ÉTAPES

- Nettoyer les champignons (éviter de
  les passer sous l'eau), les émincer
  finement et les sauter dans l'huile
  d'olive. Saler et poivrer.
  À la dernière minute de cuisson,
  ajouter l'oignon et l'ail émincés.
  Arrêter la cuisson.

ÉTAPES

- Préchauffer le four à 325 °F (160 °C).
  Dégraisser légèrement les joues, saler et
  poivrer des deux côtés. Attention de ne
  pas trop dégraisser la viande. Dans un
  poêlon à feu élevé, dans un peu d'huile
  d'olive, saisir la viande de chaque côté
  et récupérer les sucs, soit le dépôt bru-
  nâtre au fond du poêlon. Retirer la
  viande et ajouter les lardons pour les
  faire rissoler ainsi que l'ail.

- Remettre les joues dans le poêlon et
  déglacer au vin rouge jusqu'à hauteur
  du veau. Ajouter le thym et le romarin.
  Couvrir et mettre au four environ 2 à
  3 heures. La cuisson est complète lorsque
  la viande se détache facilement à la
  fourchette.

- Sortir la viande du four, l'emballer de
  papier aluminium et la laisser reposer
  au moins 20 minutes.

- Pendant ce temps, ajouter les champignons cuits à la sauce et réduire de
  moitié. Remettre les joues dans la sauce
  aux champignons et servir.

BAVETTE
de cheval marinée

ÉTAPES

- Mélanger le tout et y faire mariner la pièce de viande au réfrigérateur pendant 6 à 8 heures. Chauffer le BBQ à feu moyen et ne retourner la pièce qu'une fois avec les pinces. Le temps de cuisson pour les biftecks est de 4 à 7 minutes. La viande est meilleure encore saignante, mais tout dépend des goûts de chacun. Servir accompagné d'une salade verte.

INGRÉDIENTS

¼ tasse (60 ml) huile de colza

¼ tasse (60 ml) vinaigre de vin

2 gousses d'ail, hachées finement

2 c. à thé (10 ml) sauce Worcestershire

½ c. à thé (5 ml) romarin, séché ou frais

½ c. à thé (5 ml) sel

¼ c. à thé (1,25 ml) poivre du moulin

LAPIN CHASSEUR

INGRÉDIENTS

1 lapin, coupé en
   morceaux
½ tasse (125 g) lardons ou
   pancetta douce ou
   bacon
1 gros oignon jaune,
   émincé (ou 1 paquet de
   petits oignons perlés
   blancs)
1 c. à soupe (15 ml) fécule
   de maïs
1 ½ tasse (375 ml) vin
   blanc sec
1 tasse (250 ml) bouillon
   de volaille
1 bouquet garni (thym,
   persil, romarin, feuilles
   de céleri et une feuille
   de laurier)
3 c. à soupe (45 g)
   beurre
3 c. à soupe (45 ml) huile
1 c. à soupe (15 ml)
   vinaigre de vin
Sel et poivre
1 tasse (250 ml)
   champignons blancs,
   nettoyés

ÉTAPES

- Dans une cocotte en fonte, fondre à feu doux
2 c. à soupe (30 ml) de beurre et autant d'huile et
faire revenir l'oignon émincé et les lardons jusqu'à
ce qu'ils soient dorés. Réserver. Dans la même graisse,
ajouter le lapin en morceaux et remuer pour le faire
dorer. Saupoudrer de fécule, remuer, baisser le feu et
ajouter le bouillon, le vin blanc, le sel, le poivre, le
bouquet garni, les lardons et les oignons. Amener à
ébullition et laisser mijoter à feu doux pendant
environ 45 minutes. Faire revenir les champignons
dans 1 c. à soupe (15 ml) de beure et autant d'huile
d'olive jusqu'à ce qu'ils soient dorés, les ajouter au
lapin et laisser mijoter 30 minutes supplémentaires.

MIJOTÉ
de porc

ÉTAPES

- Chauffer l'huile dans une casserole à fond épais à feu moyen-élevé et dorer légèrement le porc et les poireaux. Ajouter le bouillon et la moutarde. Porter à ébullition. Couvrir et réduire le feu à moyen-doux. Laisser mijoter pendant 45 minutes. Incorporer le mélange de crème et fécule, les poires et l'estragon. Laisser mijoter pendant 5 minutes à feu doux puis assaisonner, au goût. Servir avec une purée pommes de terre et un légume vert.

INGRÉDIENTS

1 c. à soupe (15 ml) huile de canola (colza)

1 lb (454 gr) cubes à ragoût de porc (dans l'épaule)

3 poireaux, coupés en bouchées

1 ½ tasse (375 ml) bouillon de poulet

2 c. à soupe (30 ml) moutarde à l'ancienne

½ tasse (125 ml) crème fleurette

1 c. à soupe (15 ml) fécule de maïs (mélangée à la crème)

2 poires, non pelées, cœurs enlevés, taillées en cubes

Sel et poivre, frais moulu

2 c. à soupe (30 ml) estragon frais ou séché, haché

AU RAYON POISSONNERIE,
les indispensables

Salade niçoise   p.132

Morue charbonnière à l'unilatéral en sauce vierge p.134

Le poisson et les autres produits de la pêche contiennent toute une variété de minéraux essentiels au bon fonctionnement de notre organisme et fournissent des acides gras essentiels Oméga-3. Il est d'ailleurs la meilleure source d'Oméga-3 AEP et ADH[1], en plus de contenir des vitamines (A, D, B_3, B_6, B_{12}), des protéines aisément digestibles, des minéraux (potassium) et des oligoéléments. Cependant, certains poissons sauvages en contiennent davantage que leurs cousins *apprivoisés* : le saumon d'élevage, par exemple, est nourri aux grains riches en oméga-6 plutôt qu'avec des algues et contient beaucoup moins d'oméga-3. Les fruits de mer apportent également de la manganèse, cuivre et zinc en grande quantité. Nous devrions en manger au moins 2 fois par semaine. Pourquoi ne pas délaisser les gros poissons et opter pour ceux qui sont plus bas dans la chaîne alimentaire, comme la sardine, le hareng, le maquereau, le capelan ou l'anchois ? Les petits poissons très abondants ont une meilleure valeur nutritive que les gros poissons et contiennent moins de polluants. Malgré tout, certaines espèces sont menacées. *Le Guide canadien* des poissons et fruits de mer propose une liste des poissons pêchés qui n'épuisent pas les ressources tout en étant bons pour la santé.

1. Acide eicosapentanoïque (AEP) et acide docosahexaénoïque (ADH).

Guide des poissons et fruits de mer

À éviter : Ne pas consommer ces produits pour l'instant. Ils proviennent de sources qui présentent divers problèmes : perturbation des habitats, rejet d'espèces, gestion déficiente des stocks, faibles populations, susceptibilité à la pêche ou possibilité d'être déclarée espèce menacée par les gouvernements.

Aiglefin *chalut*

Baudroie

Caviar/Esturgeon (Int.) *sauvage*

Crabe royal (Russie)

Crevette : tigrée, blanche (Int.)

Espadon (Can., Méd., SE Atl.) *pêche pélagique à la palangre*

Flétan atlantique (É.-U.) *chalut*

Grenadier

Hoplostète rouge

Langouste (Int. sauf Aus. + É.-U.)

Légine australe

Morue franche (Atl.)

Myes (Atl.) *drague*

Pétoncles (en mer) (Canada, É.-U. Atl. moyen)

Plie (É.-U. Atl.), faux flétan du Pacifique (Canada)

Requin (Atl., Int.)

Saumon atlantique, saumon chinook *aquaculture*

Sébaste/Vivaneau chalut

*Thon (Pac. Int.) *pêche pélagique à la palangre*

Thon rouge

Tilapia

Préoccupations : Ces produits ne devraient être consommés qu'occasionnellement ou lorsqu'il n'y a pas d'alternatives «vertes». Les niveaux actuels de populations ainsi que les pratiques de pêche laissent planer des inquiétudes quant à la conservation de ces espèces.

Aiglefin (É.-U.) *palangre de fond*

Calmar : encornet géant/Humboldt, rouge nordique (Int.)

Clams : mye (Atl.), panope (É.-U. Pac.) *sauvage*

Crabe royal, crabe des neiges (Canada, É.-U.)

Crevette (Atl., Golfe du Mexique) *chalut*

Espadon (É.-U. Atl.) *pêche pélagique à la palangre*

Flétan de l'Atlantique, du Pac. (Canada) *palangre de fond*

Homard américain (É.-U. Atl.)

Huîtres *sauvages*

Mahi-mahi/Coryphène

Morue charbonnière (CA, OR, WA)

Morue du Pacifique (Canada, É.-U.) *chalut*

Morue-lingue

Moules *sauvages*

Pétoncles (en mer) (NE É.-U. Atl.)

Plie (Pac.)

Poisson-chat du Mékong (Basa, Tra) (Int.) *aquaculture*

Poulpe (É.-U.)

Requin (É.-U. Pac.)

**Saumon du Pacifique sauvage

*Thon (É.-U.) *pêche pélagique à la palangre*

Meilleur choix : Cette espèce est actuellement pêchée ou récoltée de façon durable et elle constitue un choix idéal. Favoriser les pêcheries responsables et le bien-être des communautés côtières.

Aiglefin (Canada) *palangre de fond*

Barbue de rivière (É.-U.) aquaculture

Bâtonnet de poisson : goberge (AK)

Caviar/Esturgeon *aquaculture*

Crabe dormeur

Crevette à flanc rayé, crevette tachetée (BC) *casiers*

Espadon (Canada Atl.) *harpon*

Goberge (AK)

Hareng atlantique (É.-U.), du Pacifique (Canada)

Homard américain (Canada Atl.)

Huîtres *aquaculture*

Langouste (Aus., É.-U., Baja de l'Ouest)

Merlu du Pacifique (Canada)

Morue charbonnière (AK, BC)

Morue du Pac. (É.-U.) *palangre de fond, turlutte, casier*

Moules *aquaculture*

Myes *aquaculture*

Sardine de sprat (É.-U.)

Simili-crabe : goberge (AK)

*Thon *ligne tendue, canne avec moulinet*

Tilapia (É.-U.) *aquaculture*

Truite arc-en-ciel *aquaculture*

Abréviations : AK=Alaska, Atl.=Atlantique, Aus.=Australie, BC=Colombie-Britannique, CA=Californie, É.-U.=États-Unis, Int.=International, Méd.=Méditerranée, NE=Nord-Est, OR=Orégon, Pac.=Pacifique, SE=Sud-Est, WA=Washington.

* La catégorie «Thon» comprend le thon blanc, le thon aux grands yeux, la bonite et le thon à nageoires jaunes, mais ne comprend pas le thon rouge. ** Consultez les recommandations saisonnières pour le saumon sur le site www.seachoice.org (version : 07/2007).

SAVOIR ACHETER LE POISSON FRAIS

Le comptoir à poissons du supermarché peut avoir moins de variétés, mais s'il est très achalandé. Il y a possiblement un produit plus frais. Savoir reconnaître les caractéristiques du poisson frais pour l'apprécier à sa juste valeur :

- Les ouïes sont humides et rouge vif;

- Les yeux pleins et brillants sont à fleur de tête, les pupilles sont noires, mais pas opaques;

- La peau est luisante, nacrée, tendue et adhère à la chair;

- La chair est ferme et élastique et ne retient pas l'empreinte des doigts;

- Les écailles sont adhérentes, brillantes et intactes;

- L'odeur est douce et agréable et n'est pas âcre. Elle doit rappeler celle de l'eau fraîche et des algues;

- La chair est ferme au toucher et non molle;

- Une odeur de vase ne signifie pas que le poisson n'est plus frais; elle imprègne divers poissons selon le lieu où ils vivent.

On peut acheter le poisson en filets, soit les morceaux de chair coupée le long de la colonne vertébrale, en darnes qui sont des tranches transversales épaisses, ou entier. Le poisson entier devrait avoir une peau luisante et claire, des yeux brillants ainsi que des branchies humides avec une couleur rouge riche. Demander au poissonnier de sentir et toucher au poisson. S'il ne veut pas, ne pas acheter !

Les filets devraient être placés sur un lit de glace épais et les poisons entiers recouverts de glace et éventuellement recouverts, surtout pas dans de l'eau ou sur de glace fondue. Les étiquettes affichant les prix ne doivent jamais être piquées directement dans le poisson. Cela compromet la fraîcheur du produit.

> **Petits trucs**
>
> ✔ Il est toujours préférable de choisir le poisson entier lorsqu'il est disponible parce qu'il est moins cher que le filet. Utiliser les os et la tête pour préparer un excellent fumet, cela permet d'évaluer plus facilement la fraîcheur du poisson.

CONGELÉ OU SURGELÉ ?

Lors d'une expédition dans l'Arctique au début du XXᵉ siècle, le chercheur américain Clarence Birdseye observe que le poisson fraîchement pêché gèle immédiatement quand il est exposé à l'air environnant et qu'il conserve toute sa fraîcheur au moment de la décongélation. Les Esquimaux utilisaient déjà cette technique : ils congelaient rapidement leurs produits de chasse et de pêche dans des blocs de glace et ne les consommaient que plusieurs semaines plus tard. La surgélation s'obtient par une congélation rapide, et le produit obtenu sera de meilleure qualité. Pour pouvoir porter la mention « surgelé », un aliment doit avoir été saisi par le froid, c'est-à-dire avoir été plongé d'un coup dans un local de surgélation à une température très inférieure au -18 °C nécessaire à la conservation. Certains poissons peuvent subir une transformation après leur surgélation, comme une découpe, et le produit congelé peut être conservé à une température plus haute, aux alentours de -12° C.

Vérifier que l'emballage ne soit pas ouvert ou endommagé. Si l'emballage est transparent, rechercher des traces de gel ou de cristaux de glace qui pourraient indiquer que le poisson a été entreposé trop longtemps ou a été dégelé puis recongelé. La chair du poisson ne doit pas comporter de traces de dessèchement ou de brûlures de congélation. Il doit être solidement congelé et placé dans un emballage étanche et intact, dont l'intérieur est exempt de givre et de cristaux de glace.

Les poissons maigres tels que la morue, le tilapia des États-Unis, le flétan du Canada, et la plie Pacifique peuvent être congelés ou même surgelés sans problème, tandis que le thon à nageoires jaunes ou l'espadon ne résistent pas bien à la congélation.

Poissons maigres

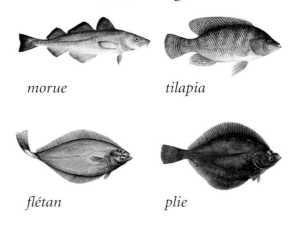

morue   tilapia

flétan   plie

LE SAVIEZ-VOUS ? Bien qu'il existe des différences entre « congelé » et « surgelé », si elles sont effectuées dans les règles de l'art, aucune des deux méthodes n'est meilleure que l'autre pour notre santé, si la chaîne du froid n'est pas rompue. Un produit congelé devrait être clairement identifié comme tel, car il est souvent difficile, voire impossible, de le différencier d'un produit frais.

EN CONSERVE

Le poisson est également commercialisé en conserve[2] (entier, en filets, en tranches, émietté) et dans diverses préparations (au naturel, à l'huile, au vinaigre, au vin blanc, à la tomate, en sauce). La sardine, le thon et le maquereau sont les poissons que l'on trouve le plus couramment en conserve parce que ce sont des poissons à chair grasse qui conviennent particulièrement à la mise en boîte. L'une de leurs caractéristiques est de renfermer des acides gras Oméga 3 qui jouent un rôle fondamental dans le fonctionnement de notre système nerveux. Ils interviennent également dans la prévention des maladies cardio-vasculaires.

Poissons à chair grasse

maquereau

sardine   *thon*

---

2. En 1810, Napoléon Bonaparte organise un concours afin de trouver un moyen de conservation des aliments pouvant approvisionner ses armées. Nicolas Appert (qui avait fait sa découverte 20 ans plus tôt) présente sa conception et gagne le concours. Cette même année, le Français Pierre Durham fait breveter sa propre invention : des contenants recouverts de fer-blanc à l'intérieur. En 1812, les Anglais Bryan Donkin et John Hall achètent son brevet et celui d'Appert et combinent les deux inventions, afin de commercialiser les premiers aliments en boîtes de conserve métalliques. L'industrie de la conserverie prend son essor dès 1815.

FUMÉ

Fumé à froid, le poisson (notamment le saumon, esturgeon, truite, maquereau, morue, parfois même pétoncles ou crevettes) est mis dans un endroit enfumé, mais loin de la source de fumée de sorte que celle-ci tiédit avant d'atteindre le poisson. Les poissons fumés offerts sur le marché sont salés à sec avant d'être fumés, et peuvent être consommés tels quels, sans cuisson supplémentaire. Le salage doit être effectué au sel sec. Si ce n'est pas le cas, il y a de fortes chances pour que de la saumure ait été injectée dans le poisson. Celui-ci perd alors en qualité. Fumé à chaud, le poisson est complètement cuit en étant exposé à la fumée dégagée par la combustion lente de bois non résineux ou d'autres produits ligneux comme la tourbe.

Quant au saumon fumé, il présente une chair humide, ferme et tendre, à la couleur rose ou orangée. Par ailleurs, préférer le saumon élevé dans l'Atlantique à celui du Pacifique. De plus, les saumons écossais et norvégiens offrent un bon rapport qualité-prix. On peut également trouver du poisson mariné ou salé et séché.

saumon

CONSIGNES

Acheter le poisson, les fruits de mer et les crustacés en dernier et les protéger dans un sac isotherme pendant le trajet du retour. Séparer la viande, la volaille, le poisson et les fruits de mer crus des autres aliments dans votre chariot d'épicerie pour éviter que les bactéries présentes dans les aliments crus ne contaminent les aliments prêts à manger. Le poisson, les fruits de mer et les crustacés devraient être mis au réfrigérateur ou au congélateur dans les deux heures qui suivent leur achat, et une heure quand il fait chaud.

Soigneusement vidé, rincé sous l'eau, essuyé et mis dans la partie la plus froide du réfrigérateur emballé dans du papier aluminium, le poisson cru ne se conserve pas au-delà de trois jours.

La meilleure façon de cuisiner le poisson est de le faire cuire rapidement à la chaleur élevée. Suivre la règle des dix minutes par pouce : faire cuire un filet pendant dix minutes pour chaque pouce (2,5 cm) d'épaisseur. Lorsqu'il est cuit, le poisson doit se détacher facilement en flocons sous la fourchette.

Ne pas acheter des palourdes, des huîtres ou des moules dont la coquille est fendue ou brisée et s'assurer qu'ils sont vivants. On jette les mollusques dont la coquille est fendue ou brisée. Faire le « test du tapotement » : palourdes, huîtres et les moules vivantes se referment hermétiquement lorsqu'on tape légèrement la coquille du doigt. Si elles ne se referment pas, ne les acheter pas !

On entrepose poissons et fruits de mer dans des contenants bien ventilés, recouverts d'une serviette de papier ou d'un linge propre humide. S'ils ne sont pas consommés dans les deux jours suivant l'achat, les emballer hermétiquement dans du papier pour congélation à l'épreuve de l'humidité ou du papier d'aluminium, de manière à les protéger contre les fuites d'air, et les congeler.

Il faut s'assurer que le homard, le crabe et l'écrevisse soient bien vivants. Pour ce faire, on les soulève en tenant la carapace par les côtés, ils devraient agiter vigoureusement leurs membres.

Le crustacé sain présente des réactions ou des réflexes de l'œil, des antennes ou des pattes. Lorsqu'ils sont sur la glace, il faut rechercher un œil noir brillant, une chair ferme et une odeur faible ou nulle. Les pinces du homard sont presque toujours neutralisées par un élastique. Sinon, on se méfie car elles saisissent fermement !

Les crevettes cuites possèdent une odeur agréable et légère, une texture non caoutchouteuse ainsi qu'une couleur uniforme et une chair non jaunie. La langoustine crue et entière ne doit présenter aucun signe de décoloration et avoir une chair de couleur uniforme.

S'assurer qu'un aliment décongelé est bien identifié. Si le produit décongelé est vendu à l'état réfrigéré, on ne doit pas le recongeler, car sa saveur et sa texture seront grandement affectées. De plus, comme ces aliments sont potentiellement dangereux, le risque associé au développement de bactéries pathogènes conduisant à des toxi-infections alimentaires sera élevé si les conditions d'entreposage et de décongélation n'ont pas été respectées.

Les crustacés peuvent être vendus congelés, ce qui permet d'en déguster tout au long de l'année. Cependant, si on les achète congelés, on doit rechercher des crustacés qui ne sont pas recouverts de givre, ni desséchés par le froid.

Dès l'arrivée à la maison, cuire immédiatement les crustacés; sinon, les couvrir d'un linge humide afin d'éviter leur assèchement et les placer au réfrigérateur. Il est fortement déconseillé de les mettre dans la baignoire car ces crustacés ne supportent pas l'eau douce.

La crevette peut être gardée au réfrigérateur pendant environ 2 jours et au congélateur pendant 1 mois dans un contenant fermé hermétiquement. La langoustine crue ou cuite se conserve environ 2 jours au réfrigérateur et environ 1 mois au congélateur.

TOP 5 DES MEILLEURS POISSONS POUR LA SANTÉ

I. SAUMON SAUVAGE du Pacifique

Bénéfices santé
Riche en Oméga-3; selon l'espèce, une portion de 100 g en renferme de 0,9 à 1,2 g, une bonne source de vitamine D, une portion fournissant 100 % de l'apport quotidien recommandé.

....

Cuisson
Cuire en papillote.

2. FLÉTAN
du Pacifique

Bénéfices santé

Le flétan renferme tout près de l'apport quotidien recommandé en Oméga-3 (0,7 g par portion de 100 g). En outre, il est peu gras, ne fournissant que deux grammes par portion et constitue une bonne source de potassium et de vitamine D.

....

Cuisson

Cuire au BBQ.

3. MAQUEREAU
de l'Atlantique

Bénéfices santé

Extrêmement riche en Oméga-3 : une portion de 100 g en fournit 0,5 à 0,7 g, très riche en vitamine (B_2, B_3, B_5, B_6, B_{12}), en vitamine A (antioxydant). La consommation régulière du maquereau est recommandée pour ses capacités à protéger le cœur en régularisant le rythme cardiaque et en décrassant les artères, et pour son action sur le système nerveux et le cerveau.

....

Cuisson

Cuire au four.

4. MORUE CHARBONNIÈRE (cabillaud)

Bénéfices santé

Excellente source d'Oméga-3, il en fournit 0,9 g par portion de 100 g, une bonne source de sélénium, riche en iode, et en vitamine B_{12}. Sa chair maigre offre des protéines complètes qui fournissent les neuf acides aminés essentiels.

. . . .

Cuisson

Cuire rapidement à chaleur élevée.

5. SARDINE FRAÎCHE ou en conserve (à l'huile ou à l'eau)

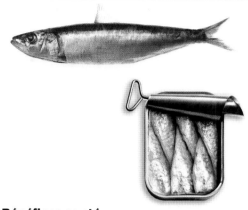

Bénéfices santé

C'est un poisson à la chair semi-grasse (0,5 g par portion de 100 g), riche en acides gras essentiels de type Oméga-3. La sardine fraîche est moins grasse que la sardine en conserve. Plus la sardine est grosse, plus elle est riche en acides gras.

. . . .

Cuisson pour les sardines fraîches

Griller.

SAUMON
sauvage du Pacifique en papillote

INGRÉDIENTS

1 filet saumon par
   personne
½ carotte
½ petit poireau
½ courgette
1 c. à thé (5 ml) huile olive
1 c. à thé (5 ml) graines de fenouil
1 carré papier sulfurisé de
   12 po x 12 po
   (30,5 cm x 30,5 cm)

ÉTAPES

- Couper en julienne carotte, poireau et courgette et faire sauter dans l'huile d'olive dans un poêlon antiadhésif le temps de saisir les légumes sans les cuire entièrement. Disposer les légumes sur le papier sulfurisé et saupoudrer d'un peu de graines de fenouil. Déposer le poisson sur cette préparation. Bien fermer le papier. Cuire dans un four réglé à 375 °F (190 °C) pendant environ 10 minutes, de manière à ce que le poisson cuise à la vapeur.

SARDINES
grillées au BBQ

INGRÉDIENTS

Pour 4 personnes prévoir 2,2 lb
 (1 kg) de sardines

POUR LA MARINADE

½ tasse (125 ml) huile d'olive
4 c. à soupe (60 ml) citron, pressé
2 c. à soupe (30 ml) fines herbes,
 hachées au goût (persil, basilic,
 origan, ciboulette, etc.)
4 gousses d'ail, hachées
Sel, poivre

ÉTAPES

- Écailler, vider les sardines, les ouvrir en 2, en retirer l'arête, rincer sous l'eau et sécher avec du papier absorbant. Dans un petit bol, mélanger l'ail, le jus de citron, l'huile d'olive, les herbes, le sel et le poivre. Recouvrir les sardines de cette marinade en mélangeant soigneusement pour bien répartir la préparation. Couvrir d'un film étirable et réserver au frais pendant 1 heure.
- Chauffer le BBQ à médium : l'idéal est d'avoir des grilles à poisson qu'on peut retourner sinon huiler les grilles hors du feu avant d'y déposer côté peau les sardines badigeonnées de la marinade. Accompagner de citron, de riz et de tomates grillées.

FLÉTAN
du Pacifique au BBQ

INGRÉDIENTS

4 filets de flétan

1 lime, coupée en quartiers

Sel et poivre

3 gousses d'ail, hachées grossièrement

½ tasse (125 ml) coriandre, fraîche

1 c. à soupe (15 ml) jus de lime, frais

2 c. à soupe (30 ml) beurre

1 c. à soupe (15 ml) huile d'olive

ÉTAPES

■ Préchauffer le BBQ à feu élevé. Presser les quartiers de lime au-dessus du poisson. Saler et poivrer. Cuire le poisson sur le grill 5 minutes de chaque côté ou jusqu'à ce qu'il soit doré. Retirer du feu et mettre dans une assiette chaude. Chauffer l'huile dans un poêlon à feu moyen, ajouter l'ail et remuer 2 minutes. Ajouter le beurre, 1 c. à soupe (15 ml) de jus de lime et la coriandre. Servir le poisson avec cette sauce au beurre.

SALADE
niçoise

INGRÉDIENTS

1 petite laitue en feuilles, lavée

2 œufs, cuits dur coupés en quartiers

6 pommes de terre moyennes, cuites, refroidies et coupées en dés

1 ¼ tasse (300 g) haricots verts cuits, refroidis et coupés en morceaux de ½ po (1 ¼ cm)

6 tomates fraîches, coupées en quartiers

1 concombre

2 oignons verts

10 olives noires, dénoyautées

Quelques filets d'anchois

1 boite de thon

VINAIGRETTE

1 gousse d'ail

½ tasse (125 ml) huile d'olive

1 c. à soupe (15 ml) jus de citron

Quelques feuilles de basilic

ÉTAPES

- Tapisser de laitue le fond d'un grand plat de service pas trop profond et réserver.

- Dans un grand bol, déposer les pommes de terre, les oignons verts, le concombre, les haricots verts et les tomates et arroser de vinaigrette. Mélanger délicatement jusqu'à ce que les légumes soient bien imprégnés de vinaigrette. Déposer le mélange de pommes de terre, haricots et tomates sur la laitue dans le plat de service et disposer ensuite le thon, les anchois, les quartiers d'œuf et décorer d'olives.

MORUE
charbonnière à l'unilatéral en sauce vierge

INGRÉDIENTS

4 pavés de morue
¼ tasse (60 ml) huile d'olive
4 c. à soupe (60 ml) beurre
Sel et poivre du moulin

POUR LA SAUCE VIERGE

24 tomates cerise, coupées en deux
3 c. à soupe (45 ml) noisettes, hachées
    grossièrement et grillées
2 c. à soupe (30 ml) ciboulette, hachée
2 c. à soupe (30 ml) échalotes sèches,
    hachées
3 c. à soupe (45 ml) huile d'olive
1 c. à soupe (15 ml) huile de noix
2 c. à soupe (30 ml) vinaigre
    balsamique
Sel et poivre du moulin

ÉTAPES

- Pour la réalisation de la sauce vierge : déposer les tomates cerise, les noisettes grillées, la ciboulette et les échalotes dans un bol. Ajouter l'huile d'olive, l'huile de noix, le vinaigre balsamique, le sel et le poivre. Bien remuer, rectifier l'assaisonnement au besoin et laisser reposer au moins 30 minutes à température ambiante et réserver.
- Dans une poêlon antiadhésif, chauffer le beurre et l'huile. Saler et poivrer les pavés de morue puis poêler le poisson à l'unilatéral côté peau pendant 5 minutes. Terminer la cuisson des pavés dans un four à 425 °F (220 °C) pendant 5 minutes. Déposer la sauce vierge sur le poisson.

LES LÉGUMINEUSES,
un substitut pour la viande

***Salade de haricots borlotti
aux fines herbes*** *p.150*

Soupe aux lentilles *p.155*

Les légumineuses, plus connues sous le nom de légumes secs sont en réalité des graines séchées provenant de plantes à gousses. Elles se présentent sous différentes formes et couleurs et sont très nombreuses et variées. Cette famille de légumes comprend notamment : haricots, lentilles, sojas, pois entiers ou cassés, pois chiches, fèves, luzerne, lupins, etc. Des études ont associé une consommation régulière de légumineuses à divers bienfaits tels qu'un meilleur contrôle du diabète et une diminution du risque de maladies cardiovasculaires et de cancer colorectal.

Nous devrions consommer en priorité des aliments d'origine végétale en incluant une variété de légumes et de fruits, de légumineuses et de produits céréaliers peu transformés. Ce sont des aliments de saveur doux et de nature neutre très nourrissants dont la valeur nutritionnelle est exceptionnelle.

BON À SAVOIR Les légumineuses sont riches en protéines, en vitamines, minéraux, glucides complexes (à absorption lente contrairement aux glucides simples comme le sucre blanc), sont faibles en matières grasses, fournissent peu de calories et sont une source très élevée de fibres.

Elles sont considérées comme une aide précieuse dans la prévention du cancer du côlon, l'un des cancers les plus répandus.

Elles permettent de réduire notre consommation de viande, de gras saturés et de cholestérol.

- Les haricots et les lentilles riches en vitamine B_6 et en acide folique aident l'organisme à assimiler les matières grasses, les glucides et les protéines.

- Les légumineuses sont riches en glucides et en protéines et représentent une excellente source d'énergie. Ce sont d'excellentes sources de fer, surtout si elles sont consommées avec une source de vitamine C, d'acide folique et de manganèse, de bonnes sources de potassium, magnésium, phosphore et zinc. Thé, café ou boissons gazeuses de type cola consommés en même temps diminuent l'absorption du fer contenu dans les légumineuses.

- Certains haricots de couleur foncée (rouges et noirs) renferment des anthocyanines une autre catégorie d'antioxydants qui contribuent à la prévention de certains cancers.

- Les légumineuses n'élèvent pas le taux de sucre dans le sang. Leurs glucides sont absorbés lentement : la montée de la glycémie est lente, étalée dans le temps, d'autant que les fibres freinent l'augmentation du taux de glucose dans le sang.

- Les haricots secs renferment des saponines auxquels on attribue la capacité de diminuer le cholestérol sanguin et la protection contre certains cancers. Le haricot pinto renferme quant à lui une quantité non négligeable de catéchines, des composés antioxydants associés à la baisse du mauvais cholestérol, tandis que le haricot blanc renferme une bonne quantité de phytostérols bénéfiques pour la santé cardio-vasculaire.

- Une consommation journalière de soja peut nous aider non seulement à diminuer le risque de maladie cardiaque, mais peut également jouer un rôle dans l'amélioration de la santé des femmes ménopausées ou en préménopause. On sait maintenant que 40 g supplémentaires de protéines de soja par jour augmente le contenu minéral osseux de certaines vertèbres, tout en diminuant la sévérité des symptômes de la ménopause, notamment les bouffées de chaleur.

MODE D'EMPLOI DES LÉGUMINEUSES

- Tremper, faire prégermer et cuire. Le trempage permet une cuisson plus rapide et améliore la digestibilité, sauf pour les lentilles corail qui ne nécessitent pas de trempage.

- Tremper une nuit ou utiliser la technique de gonflage rapide : dans une casserole, porter doucement à ébullition et laisser bouillir 2 minutes. Retirer du feu, couvrir et laisser reposer 1 heure. Cette méthode permet aux légumineuses d'absorber autant d'eau en 1 heure qu'en 15 heures en eau froide.

- Pour les longs trempages, changer l'eau de trempage 1 à 2 fois. L'idéal est de prolonger ce temps de trempage par une période de prégermination d'au moins 2 jours : dès que le germe pointe, mettre les légumineuses à cuire. La prégermination active les enzymes de la graine qui permettent la prédigestion des protéines, glucides et lipides, ce qui sollicite nos propres enzymes digestives. Certaines vitamines sont décuplées durant cette phase.

- Jeter l'eau de trempage et bien rincer les légumineuses à l'eau froide. Le rinçage élimine les glucides et les sucres complexes responsables des flatulences et favorise la digestion. Il faut compter 3 tasses d'eau pour 1 tasse de légumineuses.

- Le dosage est d'environ 4 c. à soupe (60 ml) par personne, mais il ne faut pas hésiter à en préparer le double pour servir le reste en salade ou en purée.

- Une cuisson longue à feu doux rend les légumineuses plus faciles à digérer.

- Les herbes aromatiques, comme la sarriette, laurier, thym, fenouil et autres épices telles que le cumin, noix de muscade, gingembre sont réputées pour leurs propriétés digestives lorsqu'on les ajoute à la mi-cuisson.

- Les ingrédients acides comme la tomate ou le vinaigre sont ajoutés à la toute fin de la cuisson, une fois les légumineuses attendries, parce que l'acidité augmente le temps de cuisson.

- Les assaisonnements tels que l'oignon, l'ail et les herbes séchées sont intégrés au début de la cuisson.

- Les légumineuses en conserve doivent être essorées et rincées abondamment avant l'emploi afin d'enlever le surplus de sodium.

- Ne pas utiliser de bicarbonate de soude ou autre levure chimique dans l'eau de cuisson des légumineuses parce qu'il accélère l'absorption de l'eau lors de la cuisson, détruit la thiamine (vitamine B_1) et les rend molles.

- Les lentilles corail ou vertes sont les plus faciles à digérer.

Saler en début de cuisson durcit la membrane des légumineuses. Saler à la fin de la cuisson!

Le but du trempage et de la cuisson d'un haricot sec est de faire entrer à l'intérieur toute l'eau perdue lors de sa déshydratation et le sel fait exactement le contraire : il fait sortir l'eau des aliments lors de la cuisson et donc durcir les légumineuses. L'acidité augmente le temps de cuisson. Le bicarbonate de soude ajouté dans l'eau de cuisson ramollit les légumineuses.

COMMENT LES ACHETER ?

Pour les légumineuses sèches, choisir les celles qui sont fermes, brillantes et bien colorées. Elles se conservent très longtemps à l'abri de la chaleur, de la lumière et de l'humidité. On peut acheter les légumineuses en conserve, mais le choix est parfois plus restreint et c'est généralement plus cher que sec, bien que ce soit plus rapide.

CONSERVATION

Légumineuses sèches : 1 an dans un contenant hermétique, frais et sec. Ne pas mélanger des légumineuses achetées à différentes dates dans le même contenant pour assurer un meilleur contrôle de qualité.

Légumineuses cuites : 5 jours au réfrigérateur et 3 mois au congélateur. Les égoutter avant la congélation.

En conserve : 1 an dans un endroit frais et sec.

LES LÉGUMINEUSES LES PLUS POPULAIRES

Arachide

Description
Considérée comme faisant partie de la famille des oléagineux, l'arachide est une légumineuse.

....

En cuisine
Très populaire dans les cuisines africaine, asiatique et américaine.

....

Cuisson des légumineuses avec trempage (8 à 12 heures)
Se consomme crue, cuite ou grillée.

....

Bénéfices santé
Riche en zinc, magnésium et potassium, très nourrissante. Diminue le risque de souffrir de diabète.

Azuki ou adzuki

Description
Petit haricot rouge.

. . . .

En cuisine
Populaire dans la cuisine japonaise. Se consomme aussi bien sucré que salé.

. . . .

Cuisson des légumineuses avec trempage (8 à 12 heures)
Cuire 90 minutes.

. . . .

Bénéfices santé
Bonne source de magnésium, potassium, fer, zinc, cuivre, manganèse et vitamines B. Aide à réduire la tension artérielle et agit comme diurétique naturel.

Coco rose ou haricot borlotti

Description
Du beige au brun veiné de rouge foncé.

. . . .

En cuisine
Populaire dans la cuisine italienne. Sa légère saveur de noisette est douce et sa texture est crémeuse.

. . . .

Cuisson des légumineuses avec trempage (8 à 12 heures)
Cuire 90 minutes.

. . . .

Bénéfices santé
Très riche en fibres et bonne source de protéines.

Coco blanc ou cannellini

Description
Les plus courants sont : le lingot ou coco blanc est gros, rond, peu farineux. Le haricot blanc en forme de rognon est assez gros et carré aux deux bouts.

. . . .

En cuisine
Utilisé pour le cassoulet et les ragoûts, les «fèves au lard», les soupes. Conserve bien sa forme et peut accompagner les salades, les sauces et les ragoûts.

. . . .

Cuisson des légumineuses avec trempage
Cuire 1 à 2 heures.

. . . .

Bénéfices santé
Riche en potassium et magnésium. Fait partie de la grande famille des haricots, comptant plus de 100 espèces.

Dolique à œil noir

Description
Graine ovale de taille moyenne, de couleur jaunâtre et dont le hile forme une tache foncée.

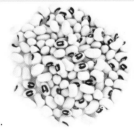

. . . .

En cuisine
Cette légumineuse est habituellement servie avec du riz ou constitue un plat d'accompagnement. Typique de la cuisine du sud des États-Unis.

. . . .

Cuisson des légumineuses avec trempage (8 à 12 heures)
Cuire 40 minutes.

. . . .

Bénéfices santé
Excellente source d'acide folique, de fer et de potassium.

Flageolet

Description
Petit haricot mince et aplati, de couleur vert pâle à la saveur subtile.

. . . .

En cuisine
Il se vend surtout en conserve ou en grains secs. Incontournable avec le gigot d'agneau.

. . . .

Cuisson des légumineuses avec trempage (8 à 12 heures)
Cuire 60 minutes.

. . . .

Bénéfices santé
Riche en fibres en vitamine B_9.

Haricot de Lima

Description
Savoureux et de texture farineuse.

. . . .

En cuisine
Réduits en purée, ils remplacent agréablement les pommes de terre. Leur saveur douce permet de les utiliser dans les recettes plus délicates où les autres légumineuses à saveur trop prononcée masqueraient la finesse du plat.

. . . .

Cuisson des légumineuses avec trempage (8 à 12 heures)
Cuire 60 à 90 minutes.

. . . .

Bénéfices santé
Bonne source de vitamines B, fer, potassium et magnésium.

Haricot de Soissons

Description
Haricot blanc plat grande taille.

. . . .

En cuisine
Convient surtout pour les potées, les plats braisés et les potages. Un peu plus coûteux que les autres haricots.

. . . .

Cuisson des légumineuses avec trempage (8 à 12 heures)
Cuire 2 heures.

. . . .

Bénéfices santé
Riche en magnésium, calcium et fer.

Haricot mungo

Description
Petite graine de couleur verte.

. . . .

En cuisine
Très utilisée dans la cuisine chinoise.
On consomme également les jeunes pousses issues des graines après germination.

. . . .

Cuisson des légumineuses avec trempage (8 à 12 heures)
Cuire 60 minutes.

. . . .

Bénéfices santé
Excellente source d'acides foliques, riche en vitamines C, en potassium, en fer et en fibres.

Haricot noir

Description

Graine ovale de taille moyenne à la peau noire et à la chair blanche et saveur douce.

. . . .

En cuisine

Convient parfaitement aux soupes, aux salades et au riz.

. . . .

Cuisson des légumineuses avec trempage (8 à 12 heures)

Cuire 60 à 90 minutes.

. . . .

Bénéfices santé

Excellente source de vitamine B$_9$. Source d'antioxydants aux effets protecteurs contre certains cancers

Haricot romain ou romano

Description

Haricot de taille moyenne veiné de rouge foncé.

. . . .

En cuisine

On peut occasionnellement le trouver frais, mais se trouve aussi sec ou en conserve. Très prisé dans la cuisine italienne.

. . . .

Cuisson des légumineuses avec trempage (8 à 12 heures)

Cuire 30 à 45 minutes.

. . . .

Bénéfices santé

Les haricots rouges ainsi que les noirs renferment des anthocyanines, antioxydants contribuant à la prévention de certains cancers.

Haricot pinto ou rosé

Description

Apparenté aux haricots rouges car sa peau devient rose en cuisant et ses taches disparaissent à la cuisson.

. . . .

En cuisine

Il est veiné et à une texture farineuse. On l'utilise également pour donner une note plus colorée à certains plats. Il est très apprécié en purée.

. . . .

Cuisson des légumineuses avec trempage (8 à 12 heures)

Cuire 2 à 2,5 heures.

. . . .

Bénéfices santé

Source de magnésium et de fer. Les petits haricots rouges, les rognons de coq et les pinto comptent parmi les aliments les plus riches en antioxydants.

Haricot rouge

Description

Graine réniforme de taille moyenne allant du rose au rouge foncé.

. . . .

En cuisine

Sa texture onctueuse et son goût prononcé conviennent bien aux soupes, aux salades, au chili ou aux plats à base de riz.

. . . .

Cuisson des légumineuses avec trempage (8 à 12 heures)

Petit : 1,5 à 2 heures; rognon : 1 à 1,5 heures.

. . . .

Bénéfices santé

Source de calcium, magnésium et de phosphore. Forte teneur en leucine et lysine, des acides aminés essentiels.

Lentille

Lentille verte, brune, rouge, orange, jaune ou noire.

Description
Graine petite, mince, en forme de disque.

En cuisine
Les lentilles vertes et brunes conservent leur forme après la cuisson, mais les lentilles orange et jaunes ont tendance à se dissoudre. Parfaites pour salades, soupes, plats à base de curry, trempettes et peuvent être servies en plat d'accompagnement.

Cuisson des légumineuses avec trempage (8 à 12 heures)
Cuire 30 minutes. Pas de trempage.

Bénéfices santé
Riche en vitamines B_1, B_2, B_6.

Pois cassé, sec, jaune ou vert

Description
Petite graine circulaire qui se sépare en deux parties. Frais, est appelé petit pois, séché, il devient pois secs et fendu.

En cuisine
À la cuisson, a une texture molle, idéale pour les soupes ou les plats à base de curry.

Cuisson des légumineuses avec trempage
Tremper à l'eau froide au maximum 6 heures, on réduit la durée de cuisson de 30 minutes.

Bénéfices santé
Source de potassium et de magnésium.

Pois chiche

Description
Graine ronde de taille moyenne, de couleur beige et à la texture crémeuse.

En cuisine
Le pois chiche peut être réduit en purée, comme dans le hoummos, ou être ajouté aux soupes, aux salades et aux pâtes.

Cuisson des légumineuses avec trempage (8 à 12 heures)
Cuire 2 à 2,5 heures.

Bénéfices santé
Excellente source de zinc, folate et de protéine. La farine de pois chiche est exempte de gluten ce qui convient aux personnes souffrant de maladie cœliaque.

Soja vert

Description
Une des rares légumineuses à pouvoir être consommée crue.

En cuisine
Il peut aussi être consommé séché, concassé, germé, rôti, moulu, pressé et fermenté : lait, tofu. tempeh, yogourt, crème dessert etc.

Cuisson des légumineuses avec trempage (8 à 12 heures)
Cuire 2,5 à 3 heures.

Bénéfices santé
Riche en protéines, acides gras essentiels (oméga-3), fer, fibres. Contient des phytoestrogènes.

CHILI
végétarien

INGRÉDIENTS

1 boîte (540 ml) haricots rouges, rincés et égouttés

1 oignon, haché

2 c. à soupe (30 ml) huile
d'olive

3 gousses d'ail, hachées
finement

1 poivron rouge, coupé en dés

1 poivron jaune, coupé en dés

1 tasse (250 ml) carottes, pelées
et coupées en dés

½ tasse (125 ml) céleri, coupé
en dés

Sel et poivre

1 tasse (250 ml) maïs en grains,
frais ou surgelé

1 boîte (796 ml) tomates
en dés

½ tasse (125 ml) bouillon
de légumes

1 c. à soupe (15 ml) poudre
de chili

1 c. à thé (5 ml) cumin,
moulu

1 c. à thé (5 ml) origan, séché

½ tasse (125 ml) coriandre
fraîche, ciselée

1 tasse (250 ml) gruyère, râpé

½ tasse (125 ml) crème
sure ou de yaourt nature
épais et riche

1 lime, coupée en quartiers

ÉTAPES

- Au robot culinaire, défaire grossièrement la moitié des haricots ou les piler à la fourchette. Réserver. Dans une grande sauteuse, dorer l'oignon dans un peu d'huile, ajouter ensuite l'ail, le poivron, les carottes, le céleri et le piment. Faire revenir 3 minutes. Saler et poivrer. Ajouter les haricots défaits et les haricots encore entiers, le maïs, les tomates, le bouillon, les épices et l'origan. Saler et poivrer. Porter à ébullition et laisser mijoter 40 minutes ou jusqu'à ce que les légumes soient tendres et la consistance du chili bien épaisse. Remuer. Retirer la sauteuse du feu. Rectifier l'assaisonnement. Au service, saupoudrer de fromage râpé et de coriandre. Accompagner de crème sure et de quartiers de lime.

RAGOÛT
épicé de haricots azuki à l'indienne

INGRÉDIENTS

2 tasses (500 ml) haricots azuki
rouges, trempés une nuit, cuits dans
l'eau 45 minutes et égouttés
3 c. à soupe (45 ml) huile d'olive
1 gros oignon, haché
2 c. à soupe (30 ml) cumin,
moulu
2 c. à soupe (30 ml) coriandre,
moulu
1 c. à soupe (15 ml) curcuma
1 c. à soupe (15 ml) garam masala
Poivre de Cayenne, au goût
1 boîte (796 ml) tomates italiennes
3 c. à soupe (45 ml) tahini
½ botte de coriandre fraîche, bien lavée
1 botte de roquette, bien lavée
Riz basmati (en accompagnement)

ÉTAPES

- Faire revenir l'oignon dans l'huile,
  ajouter les épices et cuire 2-3 minutes.
- Incorporer les tomates (si elles sont
  entières, les hacher grossièrement), les
  haricots azuki et le tahini, bien
  mélanger. Saler et poivrer. Porter à
  ébullition et laisser mijoter doucement
  une dizaine de minutes. Servir sur lit de
  roquette, arrosé de jus de lime et garnir
  de coriandre fraîche. Accompagner le
  tout de riz basmati, d'un pain naan
  (pain afghan) ou pita.

SALADE
de haricots borlotti aux fines herbes

INGRÉDIENTS

1 tasse (250 ml) haricots borlotti, secs ou en conserve

2 échalotes vertes, émincées

½ c. à soupe (7.5 ml) origan, séché

1 petit bouquet de persil, lavé et ciselé

Quelques brins d'aneth, lavés et ciselés

Le jus de 1 citron

3 c. à soupe (45 ml) huile d'olive

Sel et poivre

ÉTAPES

- Si on utilise des haricots secs, les mettre la veille à tremper dans beaucoup d'eau froide. Si on utilise des haricots en boîte, les égoutter, les rincer et sauter la prochaine étape.

- Égoutter les haricots, les rincer, les mettre dans une casserole et les couvrir avec deux fois leur volume d'eau. Porter à ébullition, baisser le feu et laisser frémir pendant 90 minutes jusqu'à ce que les haricots soient tendres. Quinze minutes avant la fin de cuisson, saler (ne pas saler avant, sinon les haricots resteront durs).

- Pendant que les haricots cuisent, mettre l'échalote et l'origan dans le bol dans lequel seront servis les haricots. Arroser du jus de citron, assaisonner et laisser reposer. Égoutter les haricots en les secouant doucement pour faire partir la vapeur et l'excès d'eau et les ajouter à l'échalote. Ajouter le persil, l'aneth et l'huile d'olive. Mélanger et laisser les haricots mariner pendant une heure. Rectifier l'assaisonnement et servir.

SALADE
tiède de haricots borlotti frais

INGRÉDIENTS

1 tasse (250 ml) haricots borlotti frais, écossés (le trempage n'est pas nécessaire)
1 gousse d'ail
1 feuille de laurier
3 branches de thym
Sel, poivre
1 c. à soupe (15 ml) vinaigre balsamique
3 c. à soupe (45 ml) huile d'olive
Quelques feuilles de basilic frais, ciselé

ÉTAPES

- Écosser les haricots et les cuire 40 minutes à l'eau bouillante salée additionnée de poivre, laurier, de thym et d'ail. Égoutter, mettre dans un plat de service et assaisonner immédiatement avec du vinaigre balsamique et de l'huile d'olive de manière à bien enrober les haricots. Saler et poivrer. Rectifier l'assaisonnement au besoin, ajouter le basilic haché très finement. Déguster tiède.

SALADE
de pois chiches

INGRÉDIENTS

2 tasses (500 ml) pois chiches en
  conserve, égouttés et rincés
1 tasse (250 ml) riz, cuit
2 oignons verts, émincés
1 poivron vert, coupé en dés
¼ tasse (60 ml) céleri, émincé
½ tasse (125 ml) raisins secs
½ tasse (125 ml) persil frais, haché

VINAIGRETTE

3 c. à soupe (45 ml) huile d'olive
1 c. à soupe (15 ml) vinaigre de vin
1 c. à thé (5 ml) sucre
1 c. à thé (5 ml) moutarde
½ gousse d'ail, hachée

ÉTAPES

■ Dans un saladier, mélanger tous les ingrédients,
sauf la vinaigrette. Ajouter
la vinaigrette et bien
mélanger. Couvrir et
laisser reposer 1 heure
au réfrigérateur avant
de servir.

INGRÉDIENTS

1 c. à soupe (15 ml) huile d'olive

2 gousses d'ail, émincées finement

2 oignons, hachés

1 branche de céleri, en dés

3 carottes, en dés

1 c. à thé (5 ml) cari

6 tasses (1,5 l) bouillon de légumes
ou bouillon de poulet

1 c. à soupe (15 ml) pâte de tomate

1 tasse (250 ml) lentilles rouges,
rincées

1 à 2 tasses (250 à 500 ml) épinards
lavés, hachés

Sel et poivre, au goût

SOUPE
aux lentilles

ÉTAPES

- Dans une grande casserole, faire revenir les oignons dans l'huile. Ajouter le céleri, les carottes, le cari, le bouillon de légumes ou de poulet, la pâte de tomate, et porter à ébullition. Baisser le feu et laisser mijoter 10 minutes. Ajouter les lentilles et cuire encore 10 minutes. Ajouter les épinards et laisser mijoter 10 minutes.

CHOISIR LES MEILLEURS PRODUITS
de boulangerie tous les jours

Salade de pain *p.166*

Gratin de quinoa aux courgettes *p.172*

Un être humain a besoin de 25 à 30 g de fibres par jour pour fonctionner. Ce sont des substances d'origine végétale que l'on ne digère pas, mais dont la principale fonction est de stimuler l'intestin et ralentir l'absorption des sucres dans le sang.

Un pain contenant plus de fibres soutient plus longtemps. Le pain n'est pas la seule source de fibres, il y a également les fruits et les légumes.

LE SAVIEZ-VOUS ?

Mieux vaut choisir des pains qui contiennent au moins 2 g de fibres par tranche. Choisir un pain dont le premier ingrédient est la farine de blé entier parce qu'elle contient le son du blé, donc les fibres du grain. Les grains entiers sont des grains qui ont subi peu de transformation et conservé les trois parties qui forment le grain : le son, le germe et l'endosperme.

Le son est l'enveloppe protectrice du grain. Il contient des fibres, de la vitamine B et des minéraux. Le germe contient principalement des vitamines, notamment les vitamines B et E, des minéraux et des bons gras qui contribuent à réduire le risque de maladies cardiovasculaires. L'endosperme est la couche intermédiaire qui fournit un apport en glucides et en protéines. Il contient aussi des vitamines et des minéraux.

Le blé, l'épeautre et le seigle sont les seules céréales pouvant donner du pain car ils contiennent suffisamment de gluten. Les farines de sarrasin, millet, maïs, riz, châtaigne, quinoa et amarante ne contiennent pas de gluten. Ce dernier peut être ajouté en petite quantité au pain pour donner un goût particulier. Dans les blés destinés à la panification, le gluten doit représenter au minimum 80 % des protéines.

Intolérance ou allergie au gluten

Le gluten se retrouve dans les céréales (blé, avoine, orge, seigle) présentes dans le pain, la farine, les biscuits, les gâteaux, pâtisseries, pâtes, hamburgers, pizzas, sauce soja, saucisses, sauces, assaisonnements, mais également dans les préparations et épaississants contenant de la farine et de l'amidon. Si vous souffrez d'une allergie au blé, votre système immunitaire est hypersensible à l'une des protéines du blé : votre organisme aura une réaction de rejet si vous en consommez. Dans le cas de l'intolérance au gluten de blé, les symptômes sont de plus courte durée, de nature dermatologique, respiratoire ou gastro-intestinale, sans que l'intestin ne soit endommagé. La maladie cœliaque est une intolérance plus sévère et peut endommager les intestins.

POURQUOI EST-IL IMPORTANT DE MANGER DES GRAINS ENTIERS ?

Les études démontrent que les personnes qui mangent davantage de céréales à grains entiers ont une meilleure santé intestinale, souffrent moins d'obésité, de maladies cardiovasculaires et de cancers.

VALEUR NUTRITIONNELLE

La valeur nutritionnelle d'un pain varie en fonction de la farine choisie. Plus la farine est moulue, plus les enveloppes des grains constituant le son et dans lesquelles se trouvent la plupart des éléments nutritifs en sont absents. La majorité des farines utilisées par les boulangeries industrielles contiennent des additifs tels que des agents de blanchiment, de maturation, enzymes, suppléments nutritifs, etc.).

Les éléments nutritifs du blé résistent mal au raffinage. Ce dernier consiste à enlever le son et le germe puis à blanchir la farine, ce qui entraîne des pertes très importantes dans plus de 23 éléments nutritifs : 50 % dans le cas du magnésium et jusqu'à 80 % dans celui du manganèse. La farine enrichie est loin de posséder la valeur nutritive que le grain possédait à l'origine et les antioxydants comme la vitamine E et le sélénium, car ils sont naturellement retrouvés dans le germe et l'enveloppe des grains et n'y sont plus après le raffinage.

Plus la farine est complète, plus le pain est riche en sels minéraux, vitamines et fibres : riche en glucides complexes, en fibres, en vitamines B, en minéraux (magnésium, phosphore et potassium) et possédant aussi des protéines végétales, le pain nous apporte force et vitalité sans excès de sucre rapide (glucides simples) et de graisses.

Pour connaître le meilleur intérêt nutritionnel parmi tous les pains offerts, il faut rechercher la mention « blé entier » en tête de liste des ingrédients et ne pas se fier uniquement à des mentions comme « 12 grains », « son d'avoine », « seigle » ou « blé concassé ». On pourrait s'attendre à ce que ces pains soient plus nutritifs qu'un pain blanc, mais plusieurs comportent comme ingrédient principal de la farine blanche enrichie.

LIRE L'ÉTIQUETTE

La consultation de la liste d'ingrédients apposée sur les produits aide grandement à repérer ceux contenant des grains entiers. Si les grains entiers constituent le principal ingrédient, ils sont mentionnés en tête de liste.

Privilégier les produits contenant de la farine de blé à grains entiers, du seigle entier, de l'avoine ou de la farine de gruau entier, du maïs entier, de l'orge à grains entiers et d'autres grains auxquels on associe le terme « entier ». Les produits multigrains peuvent parfois contenir une multitude de grains, mais aucun grain entier.

Un pain de 6, 9 ou 12 grains renferme des quantités modestes de chacun des grains. Rechercher la mention « farine moulue sur pierre » ou « farine intégrale » comme premier ingrédient. Toutes les composantes nutritives du grain s'y retrouvent.

LEVURE OU LEVAIN ?

La fermentation de la pâte a deux fonctions essentielles : donner du volume et de la légèreté au pain et de lui donner un goût et un arôme. Il existe plusieurs façons de donner vie à la pâte.

La fermentation à levure est la plus courante et convient aux baguettes et aux petits pains.

Celle au levain est plus traditionnelle, donne une croûte plus épaisse, un goût plus aigrelet, et convient au pain de campagne.

La fermentation à la levure est présentement la plus courante. Elle permet une fermentation rapide et sûre de la pâte grâce à des champignons microscopiques cultivés industriellement. Parce qu'elle peut assurer de la finesse et du croustillant à la croûte, la levure convient bien aux baguettes, aux ficelles ou aux petits pains.

La plus traditionnelle des méthodes est la fermentation au levain naturel : un mélange de farine et d'eau longuement fermenté grâce aux ferments naturellement présents dans la farine.

Les pains au levain ont un goût un peu aigrelet et légèrement acidulé, un parfum un peu fruité et un aspect plus rustique. Donnant une croûte épaisse, la méthode au levain convient à merveille au pain de campagne. Entre les deux, ce n'est qu'une question d'usage et de goût!

CONSERVATION DU PAIN

La farine est constituée à 75 % d'amidon. Lorsque l'amidon est mélangé à de l'eau puis chauffé, il se gonfle, s'étire et devient élastique. Toutefois, il a tendance à vouloir revenir à sa forme naturelle à 5 °C, soit à la température du réfrigérateur, ce qui signifie que le pire endroit pour conserver son pain est... le réfrigérateur! Mieux vaut conserver son pain sur le comptoir ou au congélateur. Voici quelques exemples de grains que vous pouvez consommer dans vos pains favoris :

Épeautre

Le grand épeautre, maintenant redécouvert, est utilisé surtout en panification. Le pain d'épeautre possède une saveur exceptionnelle – certains lui trouvent un goût de noisette – et il est particulièrement digeste. La farine d'épeautre permet aussi de confectionner d'excellentes pâtisseries. Cuit en grain, toutefois, il reste ferme et est moins agréable à manger que le petit épeautre. On peut également l'utiliser concassé.

Boulghour

Produit à partir du blé, de couleur variée allant du jaune au brun, ressemble aux graines de tournesol, à la douce saveur de noix.

Millet

Grain circulaire de très petite taille de couleur variée allant du blanc au gris et du jaune au rouge légèrement sucré, saveur de noix. Sa petite graine peut être mangée telle quelle, cuite en un plat chaud ou ajoutée à la pâte du pain pour lui donner une texture croquante. Le millet peut aussi être moulu en farine, que l'on utilise pour la confection de bouillie, ou galettes.

Triticale

Hybride de blé et de seigle, il ressemble à ces deux grains; sous forme de petits fragments, de flocons ou de farine; il remplace le seigle et le blé et peut être utilisé pour le pain, les muffins, les pâtes, les gaufres et les céréales.

Quinoa

Grain circulaire de petite taille jaune pâle avec une légère saveur de noix. Le quinoa ne contient pas de gluten.

Orge

Céréale connue pour la fabrication de la bière et du whisky. Elle sert aussi à la panification. De germination rapide, l'orge une fois réduit en farine, a souvent remplacé la farine de froment lorsque le blé manquait. Notons cependant, que cette farine nécessite absolument d'être mélangée à la farine de froment pour donner un pain digne de ce nom.

Sarrasin

Il n'est pas une céréale (il fait partie de la famille des polygonacées, comme la rhubarbe). Il se prête à la plupart des utilisations du blé, mais est peu utilisé en panification. Avec la farine, on fait des biscuits, craquelins, gâteaux, muffins, crêpes et pâtes alimentaires. La graine entière écalée peut être nature ou rôtie (alors appelée kasha).

Avoine

Proche du blé physiquement, l'avoine a peu de qualité boulangère, ne contenant pas de gluténine, elle rend le pétrissage difficile. La farine d'avoine est constituée de grains broyés et de farine composée. Notons que c'est un produit riche en caroténoïdes qui, mélangé avec de la farine de froment à hauteur de 25 %, donnera un pain de couleur jaune.

Kamut

Ancienne variété de blé dur, cultivé en agriculture biologique. Son goût de noix ou de noisette, légèrement beurré, est délicieux. Sa farine est utilisée dans la production de pâtes alimentaires et de pâtisseries. Sa saveur sucrée et son haut taux en protéines sont des atouts importants en panification. Toutefois, un apport en farine à haute teneur en gluten est recommandé si l'on veut obtenir un pain bien levé.

Seigle

Le seigle possède moins de gluten que le blé, c'est pourquoi il ne peut être utilisé seul dans le processus de panification; ainsi, lors de la fabrication d'un pain au seigle, on mêle la farine de seigle à celle de froment, afin d'alléger le pain. La farine de seigle de couleur grise est à la base de nombreuses recettes de pains à la texture dense (pumpernickel, etc.) chers aux habitants des pays européens comme l'Allemagne et la Russie.

Blé

La farine de blé est aussi appelée farine de froment ; les blés durs à pain sont caractérisés par une teneur élevée en protéines, soit supérieure à 12,4 %, des grains durs et un gluten fort. Ces blés durs sont principalement des blés de printemps qui préfèrent un climat sec et froid, et ils sont cultivés avec grand succès dans les prairies de l'Ouest Canadien. Ce sont ces blés durs, connus comme les blés HRS (Hard Red Spring) ou CWRS (Canadian Western Red Spring) qui ont fait la réputation du Canada à l'échelle internationale.

Maïs

Comme le maïs est riche en lipides, on en extrait de l'huile, utilisée pour les fritures et les pâtisseries. Il est pauvre en gluten et n'est donc pas beaucoup utilisé en panification. La farine et la semoule de maïs sont toutefois beaucoup utilisées dans la confection de pains sucrés et gâteaux aux teintes d'un jaune doré, aux textures denses, mais délicieux.

À propos

- Le pumpernickel est un pain de seigle d'origine allemande qui contient que du seigle et de l'eau. Le pain pumpernickel renferme certaines lignanes[1] qui peuvent diminuer le risque de cancer du sein ou de la prostate.

- Le sarrasin, les graines de lin et le quinoa ne sont pas vraiment des céréales. Ce sont les graines de plantes. On les rajoute aux pains et aux autres produits de boulangerie.

- Le sarrasin contient de la rutine qui favorise une bonne circulation sanguine et aide à prévenir les varices et autres problèmes. Ce sont des propriétés nutraceutiques utiles pour abaisser le taux de cholestérol et contrer le diabète sont aussi à l'étude.

- Plusieurs céréales anciennes connaissent actuellement un regain de popularité. Certaines d'entre elles sont les ancêtres du blé moderne. On retrouve désormais des pains et d'autres aliments faits de céréales anciennes comme l'épeautre, l'amidonnier, soit une céréale à faible rendement appartenant au genre des blés *Triticum* et le kamut.

---

1. Il existe des centaines de lignanes dans les végétaux. Pour que ces phytoestrogènes deviennent actifs dans l'organisme humain, ils doivent être d'abord métabolisés par les bactéries intestinales.

SALADE
de pain

INGRÉDIENTS

½ laitue romaine
½ tasse (125 ml) tomates
   cerise
1 petit concombre
5 filets d'anchois à l'huile
1 douzaine d'olives noires,
   dénoyautées
2 gousses d'ail
3 c. à soupe (45 ml) huile
   d'olive
1 c. à soupe (15 ml) vinaigre
   de vin
½ baguette rassise (ou autre
   variété de pain : pain à la
   tomate, pain aux olives, pain
   à l'ail, pain de campagne)
1 à 2 tomates cerise, coupées
   en deux pour frotter le pain
½ bouquet basilic
Sel et poivre du moulin

ÉTAPES

 Couper la baguette en deux. Bien la frotter avec une gousse d'ail coupée en deux puis avec la tomate coupée. Arroser le pain d'une c. à soupe (15 ml) d'huile d'olive, saler et poivrer. Mettre au four à environ 6 po (15 cm) du grill et laisser dorer 5 à 7 minutes de chaque côté. Le pain ne doit pas noircir. Pendant ce temps, préparer la salade et couper le concombre en dés. Égoutter et hacher grossièrement les olives et les anchois. Dans un saladier, les mélanger aux tomates cerises coupées en deux. Peler et hacher la gousse d'ail restante et l'ajouter au mélange d'olives, anchois, tomates et concombres en dés. Ajouter la salade, arroser du reste d'huile d'olive et de vinaigre. Remuer. Couper le pain en gros dés et l'ajouter à la salade, remuer à nouveau et laisser reposer 15 minutes. Ajouter les feuilles de basilic juste avant de servir.

PUDDING
au pain

INGRÉDIENTS

1 tasse (250 ml) raisins secs

3 c. à soupe (45 ml) rhum

3 gros œufs

1 c. à soupe (15 ml) vanille

1 tasse (250 ml) cassonade

1 pincée de sel

2 tasses (500 ml) lait chaud

2 ½ tasses (625 ml) mie de pain blanc, en dés

2 c. à soupe (30 ml) beurre

ÉTAPES

- Mettre les raisins secs dans un bol, les arroser de rhum et les laisser mariner 2 heures à la température ambiante. Préchauffer le four à 350 °F (180 °C). Beurrer un moule de 9 po (23 cm) de diamètre. Mettre les œufs dans un grand bol et ajouter la vanille, la cassonade, le sel et fouetter puis incorporer le lait chaud et le pain. Ajouter les raisins, le rhum et le beurre. Bien mélanger. Verser le mélange dans le moule et faire cuire au four 45 minutes. Servir chaud avec de la crème légèrement fouettée et un coulis de fraises, si désiré.

PAIN
doré

INGRÉDIENTS

2 œufs

⅔ tasse (160 ml) lait

1 ou 2 c. à soupe (15 ml à 30 ml) sucre ou de sirop d'érable

1 pincée de sel

4 tranches de pain rassis (pain aux raisins, aux noix, blé entier, etc.)

½ c. à thé (2,5 ml) vanille ou essence d'amande, muscade, cannelle ou zeste d'orange

1 c. à thé (5 ml) beurre

Amandes effilées ou graines de millet pour enrober (facultatif)

ÉTAPES

■ Battre ensemble les œufs, le lait, le sucre ou le sirop d'érable et le sel. Imbiber les tranches de pain sur les deux côtés. À feu moyen-élevé, fondre le beurre dans un poêlon et dorer le pain, des deux côtés. On peut enrober le pain d'amandes effilées ou de graines de millet.

PAIN
aux bananes

INGRÉDIENTS

1 tasse (250 ml) lait

1 c. à soupe (15 ml) jus de citron, fraîchement pressé

2 tasses (500 ml) farine tout usage non blanchie

¾ tasse (180 ml) farine de blé entier

1 c. à thé (5 ml) poudre à pâte

½ c. à thé (2,5 ml) bicarbonate de sodium

½ c. à thé (2,5 ml) sel

½ c. à thé (2,5 ml) cannelle, moulue

½ tasse (125 ml) beurre, ramolli

¾ tasse (180 ml) cassonade, tassée

1 œuf

2 c. à thé (10 ml) vanille

1 ¼ tasses (310 ml) bananes mûres, réduites en purée (environ 3)

ÉTAPES

■ Préchauffer le four à 350 °F (180 °C). Beurrer un moule à pain de 9 po x 5 po (23 x 13 cm), ou tapisser de papier sulfurisé.

■ Dans une tasse à mesurer, fouetter le lait avec le jus de citron. Réserver. Dans un bol, mélanger tous les ingrédients secs : les farines tout usage et de blé entier, poudre à pâte, bicarbonate de sodium, sel et cannelle.

■ Dans un grand bol, à l'aide d'un batteur électrique, préparer la crème à la banane : mélanger le beurre et la cassonade jusqu'à consistance légère, ajouter l'œuf et la vanille puis incorporer les bananes. Avec une cuillère en bois, incorporer le mélange de farine en alternant avec le mélange de lait, juste assez pour bien humecter sans trop mélanger. Verser dans le moule beurré, en lissant le dessus. Cuire de 60 à 70 minutes jusqu'à ce qu'un cure-dents inséré au milieu en ressorte propre. Laisser refroidir dans le moule sur une grille 5 minutes. Démouler sur la grille et laisser refroidir complètement.

SANDWICH
au saumon fumé et au pumpernickel

INGRÉDIENTS

8 fines tranches de pain pumpernickel (ou seigle)
1 contenant (250 g) fromage à la crème, ramolli
8 tranches saumon fumé
Câpres, égouttées
½ oignon, tranché finement
Le jus de ½ citron
Sel et poivre

ÉTAPES

- Tartiner chaque tranche de pain d'environ 2 c. à thé (10 ml) de fromage à la crème. Disposer deux tranches de saumon fumé sur le fromage et garnir des câpres, d'oignons et arroser d'un filet de jus de citron. Saler et poivrer. Donne 4 sandwiches.

GRATIN
de quinoa aux courgettes

INGRÉDIENTS

6 c. à soupe (90 ml) quinoa

2 ou 3 courgettes, coupées en petits morceaux

2 petits oignons, émincés

10 champignons frais, tranchés

2 œufs

1 tasse (250 ml) crème fleurette

1 c. à soupe (15 ml) huile d'olive

Fleurs de thym séchées ou thym séché

2 gousses d'ail, écrasées

Sel et poivre

4 c. à soupe (60 ml) fromage parmesan, râpé

ÉTAPES

- Cuire le quinoa comme du riz : 1 tasse (250 ml) de quinoa pour 2 tasses (500 ml) d'eau. Cuire pendant 20 minutes jusqu'à ce que toute l'eau soit absorbée. Sauter les champignons dans l'huile d'olive et réserver. Fondre l'oignon dans l'huile d'olive. Lorsqu'il commence à tomber, ajouter les courgettes et cuire à feu moyen 10 minutes. Ajouter les champignons sautés et l'ail, cuire encore 5 minutes. Dans une grande jatte, mélanger les 2 œufs battus, la crème, le parmesan, le sel et le poivre et y ajouter les légumes et le quinoa cuits. Verser dans un plat à gratin et parsemer de parmesan et de thym séché. Cuire au four, à 350 °F (180 °C) pendant environ 45 minutes jusqu'à ce que le dessus soit doré.

LE RIZ

Le riz est la céréale la plus consommée. Il est démontré que consommer davantage de grains entiers peut contribuer à réduire le cholestérol, la tension artérielle et la coagulation sanguine, améliorer le contrôle des taux de sucre sanguin et ainsi réduire les risques de diabète, ce qui réduit du même coup les risques de maladies cardiovasculaires.

Il y a 8 000 variétés de riz sur la planète, classées en trois grandes catégories : grain long, grain moyen et grain court. Le riz à grain long est le plus populaire et celui qui se consomme le plus au détail parce qu'il colle moins. On le retrouve sous forme de riz blanc, brun, étuvé ou instantané. Le grain moyen est le riz industriel parce qu'il est utilisé pour les barres tendres, en céréales, pour les soupes et les poudings, et parce qu'il est beaucoup plus tendre après la cuisson qu'un grain long. Les grains ronds sont utilisés pour les sushis.

Le germe et le son du riz, souvent éliminés au cours du polissage, sont riches en vitamines. Le riz blanc à grains longs cuit étuvé contient niacine, magnésium, cuivre et acide pantothénique et des traces de phosphore, zin et potassium. Le riz blanc à grains longs cuit contient de l'acide pantothénique, de la vitamine B_6, du magnésium, du zinc ainsi que des traces de phosphore, niacine et potassium.

Riz brun

Ce riz a été décortiqué, mais possède encore le son et le germe, seul le péricarpe a été enlevé. C'est la raison pour laquelle il est plus riche que les autres riz en fibres, fer, riboflavine, potassium, phosphore et zinc. De plus, le riz brun est la seule forme de riz qui contient de la vitamine E.

Riz aromatique

Basmati : le plus connu des riz aromatiques, il possède une saveur de noix distinctive et est cultivé en Inde et au Pakistan.

Riz blanc

C'est le riz le plus connu. Les grains ont été polis pour enlever complètement le péricarpe, le son et la plupart du germe.

Riz aromatique

Jasmin : c'est habituellement un grain long cultivé en Thaïlande.

Riz sauvage

Ce n'est pas une céréale, mais une plante d'une famille différente (Zizania aquatica) originaire de l'Amérique du Nord. Riche en saveur, ce riz est environ 3 fois plus riche en protéines que les autres riz et contient beaucoup plus de vitamines B et de fibres.

Arborio

C'est un riz blanc assez dur dont la graine est presque ronde. Ce riz absorbe 5 fois son poids en eau quand il cuit, ce qui le rend crémeux une fois cuit. C'est un riz italien utilisé dans la préparation de plats italiens tel que le risotto (il peut aussi être utilisé pour la paëlla).

Riz à cuisson rapide (minute)

Riz blanc cuit puis déshydraté afin d'abréger le temps de la cuisson. Après celle-ci, ce riz a une apparence sèche et légère. Il a peu de goût et encore moins de valeur nutritive que le riz blanc.

Riz assaisonné

Riz presque toujours précuit ou étuvé, fortement assaisonné et salé, contenant un nombre plus ou moins important d'additifs.

Riz étuvé

Riz qui a subi un traitement à la vapeur avant d'être décortiqué. La valeur nutritive est moins affectée par le polissage. Le riz étuvé est légèrement translucide et jaunâtre, mais il blanchit à la cuisson, conserve son apparence et ne colle pas. Il est plus léger et de saveur plus délicate que le riz brun. C'est le riz le plus nourrissant après le riz brun ; il contient cependant moins de fibres.

Plus le riz subit de transformations, plus son prix augmente. Ce que l'on gagne en temps de cuisson, nous le perdons en valeur nutritive et en argent. Profitez du fait que le riz brun est non seulement un des meilleurs produits sur le marché, mais aussi le moins cher.

Petit truc

✔ Pour réussir le riz sur la cuisinière, essayer le truc suivant : utiliser une casserole à fond épais pour obtenir une meilleure diffusion de la chaleur. Ajouter une quantité et demie d'eau froide pour une quantité de riz et le cuire à feu doux, de 17 à 18 minutes.

5 MANIÈRES INFAILLIBLES DE CUIRE LE RIZ

AUX MICRO-ONDES

Comme l'auto-cuiseur de riz, le four à micro-ondes offre une cuisson parfaite sans surveillance. Petite précaution préalable : rincer le riz soigneusement jusqu'à ce que l'eau devienne claire. Ensuite, il suffit d'ajouter le même volume d'eau que de riz et de positionner le four sur une puissance moyenne. En 15 minutes, le riz est prêt.

À LA VAPEUR

Parfait pour le riz à grain rond et le riz à grain long (à condition de les laisser tremper dans l'eau pendant 1 heure avant la cuisson). Le temps de cuisson est plus long qu'avec les autres méthodes : 25 minutes environ. Le riz est léger et tendre avec des grains bien séparés, surtout si on utilise un auto-cuiseur de riz ou si on cuit à la vapeur. Aromatiser l'eau avec des épices, des herbes ou du bouillon.

RISOTTO

Parfait pour le riz arborio. Le riz cuit par absorption. Faire revenir le riz dans de l'huile ou du beurre, comme pour la cuisson pilaf. Ajouter le bouillon (bouillon de légumes, de viande, fond de veau, fumet de poisson, etc.), une louche à la fois. Lorsque la première louche est totalement absorbée, on en verse une seconde, on attend qu'elle soit absorbée tout en remuant, on ajoute la troisième, et ainsi de suite. Cuisson à feu doux. Compter une vingtaine de minutes de cuisson. En fin de cuisson, ajouter du beurre et du parmesan et laisser reposer 2 minutes avant de remuer vivement.

À LA CRÉOLE

Convient à la quasi-totalité des riz. La première méthode consiste à procéder comme pour les pâtes : bouillir un grand volume d'eau salée (3 fois le volume de riz) et cuire le riz à découvert.

La seconde, un peu moins répandue, consiste à compter 1,5 à 2 volumes d'eau salée par volume de riz. On porte cette eau à ébullition et on laisse cuire le riz à couvert jusqu'à absorption, puis on égoutte le riz.

Mieux vaut aromatiser l'eau de cuisson : cubes de bouillon, épices (cari, gingembre, cannelle, etc.), zestes d'agrumes et herbes aromatiques, apporteront un délicieux parfum au plus simple de tous les riz.

PILAF

Parfait pour un riz long grain. Mettre à chauffer une cuillère à soupe de beurre ou d'huile dans la casserole. Pour 4 personnes, verser 1 tasse de riz (250 ml) et tourner à l'aide d'une spatule en bois. Lorsqu'il est translucide, verser 2 tasses (500 ml) d'eau chaude, et amener à ébullition. Saler, poivrer, couvrir et laisser cuire à couvert de 12 à 15 minutes selon le type de riz. On aromatise avec : cari, curcuma, paprika etc. Faire revenir les épices dans l'huile avant de verser le riz. Les saveurs sont ainsi décuplées et le riz plus goûteux.

PUDDING
au riz crémeux

INGRÉDIENTS

3 ½ tasses (875 ml) lait 2 %

½ tasse (125 ml) crème fleurette

½ tasse (125 ml) riz court italien de type Arborio

⅓ tasse (80 ml) sucre

1 pincée sel

1 pincée muscade moulue

1 c. à thé (5 ml) vanille

AU SERVICE

Cannelle et sirop d'érable

ÉTAPES

- Dans une casserole à fond épais, mettre le lait, la crème, le riz, le sucre, le sel et amener à ébullition en remuant continuellement. Dès que le mélange bout, réduire le feu au minimum, couvrir et laisser mijoter doucement en ne remuant qu'occasionnellement jusqu'à ce que le riz soit tendre et que le pouding soit bien épais et crémeux. Retirer du feu, ajouter la muscade et la vanille, remuer à nouveau et laisser refroidir à température ambiante et mettre au réfrigérateur. Au service, ajouter du sirop d'érable et saupoudrer de cannelle.

LES PÂTES ALIMENTAIRES

Salade estivale de pâtes *p. 187*

Spaghetti sauce tomates et basilic
p. 188

Les pâtes alimentaires contiennent deux éléments : de la semoule de blé durum (le blé dur) et de l'eau : lorsqu'on sèche le blé, l'eau s'évapore. On en trouve plusieurs variétés (boucles, nouilles, coquilles, spaghetti, etc.) dans les épiceries ainsi que dans les marchés italiens. Entreposées dans un endroit frais et sec, elles se conservent indéfiniment. À la cuisson, les pâtes sèches quadruplent de volume.

On trouve plusieurs différences entre les marques : le prix et la qualité de la semoule et les méthodes de fabrication. Les pâtes sont un aliment sain contenant des hydrates de carbone. Mélangées avec les légumes, l'huile d'olive, la sauce aux tomates, les haricots, les noix, de la volaille, de la viande, du poisson et des coquillages, les pâtes ralentissent la digestion et l'absorption du glucose sanguin et apportent des nutriments comme les fibres, les protéines et les vitamines. Elles possèdent un index glycémique bas. Les pâtes au blé complet apportent un mélange de nutriments qui se sont révélés bénéfiques dans la lutte contre les troubles cardiaques, le diabète de type 2 et l'obésité.

On doit égoutter les pâtes dès que la cuisson est terminée. Si elles demeurent dans l'eau de cuisson, elles continueront à cuire et deviendront très molles. La cuisson avec beaucoup d'eau permet d'éviter que l'amidon ne se redépose sur les pâtes. La recette est facile à retenir : un litre d'eau par 100 g de pâtes et du sel. Garder l'eau à ébullition tout au long de la cuisson pour un brassage naturel des pâtes. La sauce adhère mieux aux pâtes si elles ne sont pas rincées.

Les pâtes fraîches sont généralement préparées avec des œufs et peuvent être conservées un mois au congélateur. La cuisson des pâtes fraîches est beaucoup plus rapide que celle des pâtes sèches.

COMBIEN DE PÂTES PAR PERSONNE ?

Pâtes	Entrée	Plat principal
Pâtes sèches	50/70 g	70/90 g

Pâtes fraîches	70/90 g	110/140 g

Pâtes farcies	140/160 g	160/190 g

SALADE
estivale de pâtes

INGRÉDIENTS

4 ou 5 tomates fraîches

1 c. à thé (5 ml) sel

1 tasse (250 ml) pâtes courtes (penne, farfalle, fusili, etc.)

3 c. à soupe (45 ml) huile d'olive

3 gousses d'ail, hachées

1 poivron jaune, coupé en lanières

½ oignon rouge, émincé

1 pot d'artichauts dans l'huile

Quelques olives kalamata, dénoyautées et tranchées

Quelques feuilles de basilic frais

½ tasse (125 ml) parmesan ou romano, râpé ou en copeaux

Poivre frais

ÉTAPES

■ Couper les tomates en deux, épépiner, tailler en cubes et déposer les morceaux dans une passoire, saler et laisser égoutter 10 minutes. Dans un grand bol, déposer les tomates et l'huile et laisser dégorger pendant 30 minutes. Pendant ce temps, cuire les pâtes dans l'eau salée. Dans un poêlon antiadhésif. Chauffer l'huile d'olive. Faire tomber l'ail, ajouter le poivron, l'oignon rouge et faire revenir jusqu'à ce que les légumes soient *al dente*. Dans un grand saladier, mélanger les pâtes cuites, les tomates, l'ail, l'oignon et le poivron, les artichauts coupés en 4 et égouttés, les olives et le basilic. Poivrer généreusement. Saupoudrer de copeaux de parmesan ou romano. Déguster tiède.

SPAGHETTI
sauce tomates et basilic

INGRÉDIENTS

350 g de spaghetti

2 boîtes (2 x 796 ml) tomates
San Marzano, réduites en purées

4 c. à soupe (60 ml) huile d'olive
extra vierge

5 à 6 gousses d'ail, hachées fin

10 feuilles de basilic

Sel et poivre, au goût

Parmesan

ÉTAPES

- Dans une casserole, chauffer l'huile d'olive et ajouter l'ail puis les tomates réduites en purée. Laisser mijoter à feu doux pendant 40 minutes. Ne pas saler au début, le sel ferait éclaircir la sauce. Poivrer.

- Mettre les pâtes à cuire dans beaucoup d'eau salée bouillante, les égoutter et conserver un peu d'eau de la cuisson. Les remettre dans la marmite avec l'eau de cuisson et une louche de sauce et remuer pour faire adhérer la sauce aux pâtes.

- Pour le service, garnir les pâtes de sauce et décorer de feuilles de basilic. Mettre le parmesan en bloc sur la table avec une râpe afin que chaque invité se serve.

CÉRÉALES,
barres de céréales et biscuits

Biscuits au réfrigérateur *p. 202*

Barres de céréales *p. 204*

Pour débuter la journée, combler une fringale en après-midi ou terminer un repas, les céréales, biscuits et barres de céréales sont souvent les aliments favoris des consommateurs. Or, la majorité de ces aliments peuvent cacher des quantités importantes de sucres et de gras contribuant ainsi à leur haute teneur en calories.

ATTENTION ! Selon la fréquence et la grosseur des portions consommées, les barres tendres, céréales et biscuits peuvent nuire au contrôle du poids, faire augmenter les taux de lipides dans le sang (taux de cholestérol et de triglycérides) et affecter la glycémie (taux de sucre). Il vaut mieux les consommer avec modération.

LES BARRES DE CÉRÉALES

Pour 1 barre

Par portion de 30 g, la barre de céréales doit contenir un maximum de :

- 10 g de sucres

- 1 g de gras saturés et trans

- Un minimum 2 g de fibres

VOICI 4 CRITÈRES À SURVEILLER POUR FAIRE LE BON CHOIX :

Les sucres

Les sucres fournissent rapidement de l'énergie aux muscles et au cerveau. Ceux des fruits ont l'avantage de venir avec des vitamines. En moyenne, les sucres comptent pour un tiers du poids des barres de céréales, mais cette proportion atteint parfois plus de 50 %. Les barres enrobées sont généralement plus sucrées que les versions sans enrobage.

De nombreux produits renferment plus de 5 ou 6 substances sucrées comme le sucre, le glucose, le fructose, le miel, la mélasse, le sirop, le sorbitol, le dextrose, la cassonade, etc. Ce sont tous des sucres !

Les fibres

Les barres à base de céréales fournissent au moins 2 g de fibres par portion, en vertu de la réglementation fédérale. Les barres qui contiennent 4 g ou plus de fibres par portion le doivent en partie aux ingrédients suivants : fibres de bales d'avoine, fibres de soja, son d'avoine, son de blé, son de maïs et racine de chicorée. Être attentif en consultant l'étiquette !

Les lipides

Les produits les plus riches en gras sont les mélanges de randonnée ou les barres aux noix ou arachides. Quelques fabricants ajoutent des graines de lin à leurs barres afin de les enrichir d'acides gras Oméga-3. Cependant, il faut que les graines soient moulues pour profiter de leurs bienfaits.

Le yaourt

Il s'agit souvent de simili-yaourt constitué principalement de sucre et d'huile et d'un peu de poudre de yaourt ou d'autres substances laitières.

LES MEILLEURS CHOIX DE BISCUITS

Premier aliment déshydraté par double cuisson, le biscuit a longtemps été la nourriture de réserve des soldats et des marins. Autrefois, ces galettes très dures à base de farine de blé et peu savoureuses étaient consommées après l'épuisement des denrées fraîches. De nos jours, le biscuit n'est plus un aliment de base, mais une pâtisserie que l'on consomme en collation ou au dessert.

Les biscuits sont appréciés par les petits et les grands. Ils viennent aussi ravir le palais de vos convives à la fin d'un bon repas en accompagnement d'une salade de fruits, d'une mousse au chocolat, ou d'une crème glacée. Différentes sortes de biscuits existent. Ils peuvent être natures, au sucre, au chocolat, à la cannelle, aux fruits, aux amandes, au miel, craquants, mœlleux, fins, épais, fourrés. Il y en a pour tous les goûts! Le biscuit est calorique parce qu'il est fait à partir de farine, d'œufs, de sucre, de beurre auxquels on rajouter des dizaines d'ingrédients. Il existe cependant de nouvelles gammes de biscuits, moins riches en sucre et en matières grasses, bien que ces biscuits restent un produit à consommer avec modération.

LES GRAS TRANS

Les gras trans, c'est de l'huile rendue solide par l'ajout d'hydrogène afin de prolonger la stabilité et la durée de vie des produits. Ils ont été mis au point pour baisser les coûts de production. Le désavantage du gras trans par rapport au gras saturé, c'est qu'en plus de faire monter le mauvais cholestérol, il fait baisser le niveau de HDL, soit le bon cholestérol.

POUR FAIRE LES MEILLEURS CHOIX

Nombreux sont les biscuits sucrés qui se font compétition sur les étalages du supermarché. Les choix santé sont donc plus difficiles à faire! Voici quelques trucs simples pour guider vos prochains achats.

Pour faire les meilleurs choix de biscuits

✔ **Par portion de 30 à 40 g : maximum 2 g gras saturés et trans et 10 g de sucres.**

✔ Privilégier les courtes listes d'ingrédients.

✔ Certains produits affichent un symbole «sans gras trans».

✔ Éviter les produits qui en contiennent : le tableau d'information nutritionnelle doit indiquer «0 gramme» de gras trans («shortening», «huile hydrogénée» ou «huile partiellement hydrogénée» sont tous des gras trans).

✔ Choisir les biscuits qui contiennent des farines ou céréales entières, des fruits (frais ou séchés), des noix ou des graines.

✔ Éviter les produits dont le premier ingrédient est le sucre.

✔ Opter pour des préparations à base de vrais fruits ou de vrais légumes (muffins aux carottes, scones aux bleuets, pain aux bananes, carrés aux dattes).

✔ Les recettes maison restent le meilleur choix.

LES CRAQUELINS

Les craquelins sont encore trop gras, contiennent trop d'additifs, pas suffisamment de fibres et sont généralement trop salés. Mieux vaut ne pas consommer les craquelins contenant du shortening d'huile végétale, huile de palme ou de coco modifiée ou de l'huile hydrogénée car ce sont des gras trans. Même si l'étiquette indique 0 g de gras trans, les craquelins qui contiennent ces huiles fournissent des mauvais gras. Les produits contenant du sucre ou du glucose-fructose, du glutamate monosodique ou d'autres additifs alimentaires sont aussi à éviter. Une portion de craquelins correspond à 20 g et représente entre 2 et 15 craquelins selon la sorte de craquelin choisie.

Pour faire le meilleur choix

✔ **Pour une portion de 30 g de craquelins : moins de 1 g de gras saturés et de gras trans au total.**

✔ Un craquelin santé doit contenir 2 g de gras et moins. La liste d'ingrédients qui le compose doit être très courte.

✔ Moins de 250 mg de sodium pour une portion de 30 g de craquelins.

✔ Privilégier les craquelins dont les premiers ingrédients sont des farines de grains entiers ou des céréales entières.

✔ Choisir les variétés réduites en sodium.

LES MEILLEURS CHOIX DE CÉRÉALES

Les meilleures céréales sont toutes celles qui appartiennent à la grande famille des graminées. Les principales céréales sont : l'avoine, les blés (incluant l'épeautre, le kamut, le blé durum utilisé pour les pâtes), le maïs, le millet (y compris la teff[1]), l'orge, le riz et les riz sauvages, le seigle et le triticale, un croisement entre le blé et le seigle. Il existe aussi quelques plantes, les pseudo-céréales, qui ne font pas partie de la même famille que les céréales (graminées), mais dont les grains ont longtemps servi à préparer des aliments semblables. Les principales pseudo-céréales sont : l'amarante, le quinoa et le sarrasin.

Les céréales apportent une grande variété de nutriments, notamment des glucides, contenant de 8 à 18 % de protéines qui permettent de couvrir plus de la moitié de nos besoins quotidiens. Elles fournissent des éléments minéraux essentiels à notre organisme, en particulier du phosphore et du magnésium, des vitamines du groupe B, E (dans le son) et des fibres, lorsque les céréales ne sont pas décortiquées, polies, raffinées ou blanchies. Les fibres sont importantes pour la santé digestive, le transit intestinal régulier, la prévention des polypes intestinaux et des cancers du côlon et un bon contrôle de la glycémie.

Les céréales contiennent des lignans, ces composés phytochimiques antioxydants,

---

1. La teff est une graine ancienne (4000 av J.C), une des plus petites au monde, appelée Eragrostis tef, et cultivée principalement en Éthiopie où elle est consommée sous forme de pain Enjera ou de boissons fermentées.

mais de nombreux éléments nutritifs sont perdus lors du décorticage des grains. Consommer une céréale de grains entiers.

Meilleurs choix

On recherche en première position dans la liste des ingrédients les mots « son » ou « entier » comme « son d'avoine » ou « blé entier ». Cela signifie qu'ils constituent l'ingrédient principal du produit. Plusieurs céréales contiennent beaucoup de sucre, soit jusqu'à près de 50 % du contenu et plus une céréale est sucrée, moins elle contient de grains nourrissants.

Les meilleurs choix sont les céréales qui ont moins de 5 ou 6 g de sucre soit l'équivalent d'une cuillerée à thé comble de sucre par portion de 30 g. Si la céréale renferme des fruits, qui apportent aussi du sucre, le total peut être un peu plus élevé sans toutefois dépasser 10 g.

Pour les enfants, choisir des céréales à déjeuner à base de grains entiers ou de son, de fruits séchés, de noix ou de graines et éviter les céréales à déjeuner qui contiennent des colorants artificiels, du chocolat ou des friandises, telles que des guimauves.

Quant aux céréales chaudes vendues sur le marché, ce sont souvent des céréales instantanées et aromatisées auxquelles on a ajouté des édulcorants (sucre, sucralose, etc.), généralement trop sucrées et trop salées. Choisir des céréales chaudes non sucrées composées de grains entiers ou de flocons d'avoine. Augmenter la quantité de fibres de votre gruau en ajoutant 1 c. à soupe de son non traité ou de céréales de son.

Objectif santé

Pour une portion de 30 g de céréales, l'objectif santé est de retrouver :

- 3 g de lipides et moins
- 5 g de sucre et moins pour des céréales sans fruits
- 3 g de fibres et plus
- 3 g de protéines et plus
- 10 g de sucre et moins pour des céréales avec fruits

TRUCS POUR CONSOMMER UN MAXIMUM DE CÉRÉALES

- Les déjeuners comprenant beaucoup de fibres et de glucides aident à se sentir rassasié plus longtemps. On est ainsi moins susceptible de grignoter.

- Garnir les armoires d'une variété de céréales et de barres de céréales aux grains entiers et à teneur élevée en fibres.

- Rechercher les mots «entier» ou «grains entiers» en haut de la liste des ingrédients pour repérer les produits céréaliers contenant une grande quantité de grains entiers.

- En créant une zone de fibres dans la boîte à pain ou dans le garde-manger, on s'assure d'en manger tous les jours. On y intègre des aliments contenant des grains entiers ou du son. Privilégier les grains entiers dans les pains, bagels, petits pains et pains plats tels que les pains nan, bannocks et tortillas.

- On garde sous la main diverses céréales comme du riz brun ou sauvage, de l'orge, du quinoa et du blé, et on prend l'habitude d'acheter des pâtes ou du couscous aux grains entiers.

- Les muffins et les pains faits maison préparés avec des grains entiers ou des céréales riches en fibres sont savoureux et appétissants.

- Les craquelins aux grains entiers pauvres en sodium dans le garde-manger sont de merveilleux dépanneurs.

- Pourquoi ne pas préparer des biscuits à l'avoine ou des carrés faits de céréales riches en fibres et les garder à portée de la main pour les collations?

- Un contenant hermétique rempli du mélange du randonneur fait maison ou un mélange de céréales de grains entiers ou riches en fibres, de fruits séchés, de noix et de graines peuvent servir de collation rapide.

- Les céréales idéalement faibles en sucre sont une bonne source de glucides et de fibres. Le lait écrémé ou 1 % fournit le calcium et les protéines nécessaires.

- Le déjeuner ne doit pas se limiter aux céréales et aux rôties. Un muffin anglais à grains entiers avec un peu de fromage ou une omelette avec des légumes constituent des choix santé et apportent un peu de variété.

- Si le temps presse le matin, on peut couper les fruits la veille afin qu'ils soient prêts à être ajoutés aux céréales ou au yaourt.

MÉLANGE
du randonneur

INGRÉDIENTS

2 ½ tasses (625 ml) flocons d'avoine

¾ tasse (180 ml) amandes, tranchées ou cajous en morceaux

¼ tasse (60 ml) son ou germe de blé naturel

½ tasse (125 ml) graines de citrouille ou graines de tournesol

⅓ tasse (80 ml) noix de coco en flocons

½ tasse (125 ml) d'huile de canola (colza)

½ tasse (125 ml) de miel

1 pincée de cannelle, moulue

1 tasse (250 ml) canneberges, séchées

ÉTAPES

■ Préchauffer le four à 325 °F (160 °C). Combiner les 5 premiers ingrédients dans un grand bol. Chauffer légèrement aux micro-ondes l'huile, le miel et la cannelle et les verser sur le mélange de céréales. Bien mélanger. Étendre uniformément sur une grande plaque à pâtisserie et cuire au four de 30 à 40 minutes en remuant à toutes les 5 minutes jusqu'à ce que les céréales soient croquantes et dorées. Laisser refroidir. Ajouter les canneberges en remuant. Le mélange se conserve dans un contenant hermétique jusqu'à un mois dans un endroit frais et sec.

■ **Version mélange du montagnard** : Ajouter au mélange original ¼ tasse (60 ml) de chacun de ces fruits séchés tels que mangues, bananes, papayes, ananas et dattes dénoyautées.

BISCUITS
à l'avoine

INGRÉDIENTS

2 tasses (500 ml) cassonade

1 tasse (250 ml) beurre, ramolli

½ tasse (125 ml) babeurre

1 c. à thé (5 ml) vanille

3 ½ tasses (875 ml) avoine à l'ancienne ou à cuisson rapide

1 ¾ tasse (425 ml) farine tout usage

1 c. à thé (5 ml) bicarbonate de soude

1 c. à thé (5 ml) sel

ÉTAPES

- Préchauffer le four à 350 °F (180 °C). Dans un grand bol, mélanger le beurre, le babeurre et la vanille. Mélanger l'avoine, la farine, le bicarbonate et le sel et incorporer ces ingrédients. Sur une plaque à biscuits recouverte d'un papier sulfurisé, déposer la pâte par chaque c. à soupe comble et l'aplatir légèrement avec un morceau de papier sulfurisé. Laisser une distance de 3 po (7,5 cm) entre chaque biscuit. Cuire de 8 à 10 minutes jusqu'à ce que les biscuits soient légèrement dorés. Déposer sur une grille et laisser refroidir.

Note : Le babeurre est fait de lait écrémé auquel on mélange des bactéries lactiques. Il peut être remplacé par du lait sûr ou du yaourt. Pour obtenir du lait sûr, on ajoute 1 c. à soupe (15 ml) de jus de citron ou de vinaigre blanc à 1 tasse (250 ml) de lait qu'on laisse ensuite reposer 5 minutes.

MÉLANGE
de granola maison

INGRÉDIENTS

2 tasses (500 ml) flocons
d'avoine

½ tasse (125 ml) flocons de
seigle ou épeautre

½ tasse (125 ml) flocons de
blé

½ tasse (125 ml) amandes,
émincées

½ tasse (125 ml) noix de
coco, râpée

½ tasse (125 ml) graines de
tournesol

¼ tasse (60 ml) germe
de blé

½ c. à thé (2.5 ml) cannelle

¼ tasse (60 ml) miel

¼ tasse (60 ml) huile de
pépins de raisin

ÉTAPES

■ Allumer le four à 350 °F (180 °C). Dans un grand
bol, mélanger tous les ingrédients secs. Chauffer
le miel et l'huile 30 secondes aux micro-ondes et
les incorporer aux ingrédients secs. Bien mélanger
et verser dans un grand plat allant au four.
Enfourner et cuire 20 minutes en mélangeant à
mi-cuisson ou jusqu'à ce que les céréales soient
d'un beau brun doré. Laisser refroidir et verser
dans des pots hermétiques. Le mélange se
conserve 3 mois au réfrigérateur. Servir pour le
petit déjeuner avec du lait du yaourt nature et
des fruits frais de saison.

BISCUITS
au réfrigérateur

INGRÉDIENTS

2 tasses (500 ml) farine tout
usage

2 c. à thé (10 ml) poudre à pâte

1 pincée bicarbonate de soude

¾ tasse (180 ml) margarine,
ramollie ou beurre ramolli

1 tasse (250 ml) cassonade,
tassée

½ tasse (125 ml) sucre granulé

1 œuf

1 c. à soupe (15 ml) lait 2 %

1 c. à thé (5 ml) vanille

1 tasse (250 ml) céréales au son

ÉTAPES

■ Dans un bol moyen, mélanger la farine, la
poudre à pâte et le bicarbonate de soude.
Réserver. Dans un grand bol, battre au
batteur à main le beurre, le sucre et la
cassonade jusqu'à consistance légère et
mousseuse. Incorporer l'œuf, le lait et la
vanille. Ajouter les ingrédients secs et les
céréales, en remuant pour bien mélanger.
Former deux rouleaux de pâte (10 po / 25 cm
chacun). Les emballer dans de la pellicule
plastique en scellant bien les bouts.
Réfrigérer au moins 2 heures jusqu'à ce que
la pâte soit ferme. Couper en tranches de
¼ po (5 mm) et déposer sur une plaque à
biscuits non graissée. Cuire au four à 375 °F
(190 °C) environ 9 minutes jusqu'à ce que
les biscuits soient dorés. Les laisser refroidir
2 minutes, déposer sur une grille et laisser
refroidir complètement. Garder dans un
contenant hermétique.

VARIANTES

■ **Chocolat :** Fondre 2 carrés de chocolat non
sucré; incorporer au mélange avant les
ingrédients secs. **Noix :** Ajouter ½ tasse
(125 ml) de noix ou de pacanes hachées aux
ingrédients secs.

BARRES
de céréales

INGRÉDIENTS

pour 16 barres

⅓ tasse (80 ml) sirop de maïs

⅓ tasse (80 ml) miel liquide

⅓ tasse (80 ml) huile végétale

2 tasses (500 ml) flocons d'avoine

1 ½ tasse (375 ml) graines de tournesol non salées, décortiquées

1 tasse (250 ml) céréales de riz soufflé

1 tasse (250 ml) raisins secs ou abricots séchés, hachés

½ tasse (125 ml) amandes, tranchées

ÉTAPES

- Dans une casserole, porter à ébullition à feu moyen le sirop de maïs, le miel et l'huile. Réduire le feu et laisser mijoter 5 minutes jusqu'à ce que la préparation ait légèrement épaissi. Retirer la casserole du feu et laisser refroidir 1 minute. Dans un grand bol, mélanger les flocons d'avoine, les graines de tournesol, les céréales de riz, les raisins secs et les amandes. Verser la préparation de sirop de maïs sur les céréales et mélanger pour bien enrober les ingrédients. Étendre uniformément la préparation dans un moule à gâteau de 13 po x 9 po (33 cm x 23 cm), huilé ou tapissé de papier sulfurisé, en la pressant fermement. Cuire au centre du four préchauffé à 180 °C (350 °F) pendant 25 minutes jusqu'à ce que le dessus soit doré. Déposer le moule sur une grille et laisser refroidir et couper en barres.

CONDIMENTS,
huiles, moutardes, mayonnaises et sauces diverses

Pesto au basilic p. 214

Ketchup à la tomate maison p. 219

Le condiment est une substance ayant une odeur ou un goût prononcé qui est utilisée pour relever la saveur des aliments. Parfois appelés leurres olfactifs et gustatifs, les condiments comprennent à la fois les épices, les aromates, sauces, fruits et diverses compositions culinaires. Ils savent apporter à un plat un goût et une couleur qui provoquent instantanément l'enchantement de nos sens. Les aromates et les épices sont des produits naturels. Cependant la plupart des condiments rencontrés dans l'alimentation occidentale sont élaborés. Comme tous les aliments, les condiments présentent des bienfaits pouvant devenir des méfaits s'ils sont consommés en trop grande quantité.

Un garde-manger bien équipé en condiments et en épices permet de cuisiner tous les mets que l'on désire. On achète de trop nombreux condiments qui finissent par encombrer les tablettes du réfrigérateur ou du garde-manger et qui partent à la poubelle quand on se décide à faire le ménage.

Une fois moulues, les épices perdent rapidement leur arôme. Acheter des épices entières qu'on moud soi-même à l'aide d'un mortier ou d'un petit moulin à café, exclusivement consacré à cet usage, et moudre chaque fois de petites quantités et garder les restants au congélateur. Pour ne pas mélanger les saveurs, on met un peu de gros sel dans le moulin et on le fait tourner 30 secondes, puis on le nettoie avec un torchon.

LE SAVIEZ-VOUS ?

Les pires ennemis des épices sont la lumière, la chaleur, l'humidité et l'air. Il faut en acheter peu et les garder dans un petit pot bien fermé, au fond d'un tiroir. Elles se gardent 6 mois maximum, après quoi, même les meilleures épices commencent à s'éventer.

Le recours à des vinaigrettes commerciales est souvent perçu comme un gain de temps, mais cet assaisonnement n'est pas nécessairement un gage de santé. Les vinaigrettes commerciales, qui prennent de plus en plus de place sur les tablettes du supermarché, peuvent être attirantes pour leurs multiples saveurs ainsi que pour leurs aspects économique et pratique. Cependant, ces vinaigrettes ne sont pas des choix optimaux pour la santé. À titre d'exemple, 1 c. à soupe (15ml) de vinaigrette César du commerce contient autant de matières grasses que trois tranches de bacon. Même si le type de gras le plus souvent utilisé est bon pour la santé comme huile de soja, la quantité de vinaigrette ajoutée peut très vite augmenter le nombre de calories ingurgitées.

BON À SAVOIR

Les vinaigrettes crémeuses contiennent des gras saturés néfastes pour la santé qui proviennent majoritairement des produits laitiers qui y sont ajoutés (crème, crème sûre, fromages).

Certaines vinaigrettes commerciales sont également riches en sel ou en sucre ajouté, en plus de contenir une longue liste d'additifs alimentaires.

Les vinaigrettes allégées s'avèrent parfois un choix intéressant parce qu'elles sont moins caloriques. Pour rehausser le goût, on ajoute du sel, du sucre, de l'eau ou des additifs alimentaires.

Il faut lire les étiquettes. Suivre les conseils suivants :

- Privilégier les vinaigrettes à base d'huile.
- Favoriser les produits contenant moins de 125 mg de sodium et moins de 1,5 g de gras saturés par portion de 15 ml.
- Choisisser les vinaigrettes avec la liste d'ingrédients la plus courte possible.

Catégories de condiments

Acides : jus de citron, les différentes sortes de vinaigres, aliments mis en conserve tels que les cornichons, le ketchup, les câpres.

Âcres : ce sont des végétaux, les légumes bulbes, crus ou cuits comme l'oignon, le poireau, l'échalote, l'ail, la moutarde et le raifort.

Gras : ces condiments sont des substances végétales ou animales comme le beurre, la graisse ou les huiles.

Salin : condiment d'origine minérale qui sert à assaisonner et à conserver les aliments (le sel).

Sucré : substance végétale qui regroupe le sucre sous toutes ses formes.

LES SAUCES CONDIMENTAIRES

Harissa

Saveur très piquante. Piments broyés dans l'huile d'olive sont à la base de cette sauce rouge au goût fortement concentré qui sert à relever les mets tunisiens notamment les tajines.

Ketchup

De nos jours, même si la recette reste secrète, elle demeure simple. Un mélange de sucre, tomates, vinaigre blanc, huile et clous de girofle.

Mayonnaise

Masse onctueuse et homogène résultat d'une émulsion d'huile, de jaune d'œuf et de vinaigre. Elle est affinée par l'ajout de sel, de moutarde et d'épices.

Moutarde

Il y a plusieurs recettes de moutarde (Dijon, Meaux). La moutarde jaune est un condiment doux, un peu amer. La moutarde préparée que nous consommons usuellement doit sa couleur au curcuma qui y est ajouté, une épice reconnue pour ses propriétés anticancer. La moutarde brune ou noire est beaucoup plus piquante, amère et aromatique que la moutarde jaune. On l'utilise pour faire la mayonnaise et la vinaigrette, pour relever certaines sauces ou encore pour agrémenter les viandes grillées, gratinées, le lapin, la charcuterie, les saucisses, le gibier, les viandes bouillies, les légumes. On l'associe avec l'huile, le vinaigre, le citron, la crème.

Mirin

Saké sucré utilisé uniquement pour cuisiner. Il est obtenu à partir du saké distillé (shochu).

Pâte de tamarin

Faite à partir de fruits du tamarinier, cette pâte légèrement acide sert à la fois d'aliment et de condiment dans la cuisine asiatique.

Sauce aux huîtres

C'est une sauce épaisse de couleur brune très utilisée dans la cuisine chinoise.

Sauce soja

D'origine chinoise, la sauce soja est fabriquée avec des haricots de soja auxquels on ajoute une mouture de céréales, principalement du blé. Après avoir laissé fermenter le mélange pendant quelques jours, on y ajoute une saumure et on fait vieillir le tout de 18 à 24 mois dans des fûts de cèdre. Le liquide obtenu est ensuite filtré et pasteurisé. Pour la rendre plus foncée, on lui ajoute du caramel ou de la mélasse. Le goût doit être frais, léger, bien équilibré avec des arômes subtils.

Sauce Tabasco

Cette sauce d'origine louisia-naise est préparée à partir de piments rouges écrasés. Très piquante : quelques gouttes assaisonnent tout un plat.

Sauce Tamari

La sauce tamari d'origine japonaise est faite de haricots ou de tourteaux de soja, mais sans ajout de céréales. On laisse fermenter de 4 à 6 mois dans des cuves métalliques. On y additionne parfois du glutamate monoso-dique et du caramel. Puisqu'il ne contient pas de céréales, le tamari n'est pas alcoo-lisé, mais on y ajoute parfois 2 % d'alcool éthylique pour assurer sa conservation.

Sauce Worcestershire

La sauce Worcestershire est un condiment foncé, salé et légèrement piquant. Il contient de l'ail, de la sauce soja, de l'écorce de tamarin, des oignons, de la mélasse, du citron vert, des anchois, du vinaigre, des épices, mais la recette exacte demeure secrète.

Tahini

C'est une pâte épaisse et crémeuse à saveur de noisette, faite de graines de sésame moulues. Elle condimente les sauces et accompagne bro-chettes, pain, fruits et légumes

Vinaigre

La plupart des vinaigres, sauf le vinaigre blanc, sont interchangeables. Cela permet de varier les saveurs. Le vinaigre est très utilisé pour assaison-ner, mariner, mettre en conserve et retarder le brunissement des fruits et des légumes. Il contient peu de calories et permettrait entre autres un meilleur contrôle de la glycémie.

Vinaigre balsamique

Le vinaigre balsamique est produit à partir de raisins blancs sucrés dont on fait une vendange tardive et dont on prépare le moût. Celui qu'on consomme habituelle-ment est commercialisé lorsqu'il a vieilli 4 ou 5 ans. Cependant, on retrouve des vinaigres balsamiques de 10 à 40 ans d'âge. Ils sont plus sucrés, plus sirupeux et combien délicieux !

Wasabi

Comme le raifort, le wasabi est de la famille des crucifères. Le wasabi est essentiellement utilisé comme condiment. Son goût, proche de la mou-tarde est assez fort. Ses vapeurs sont plus irritantes pour le nez que pour la langue. Comparé au piment la sensation de brûlure est moins longue en bouche et disparaît en prenant de l'eau.

VINAIGRETTE
maison classique

INGRÉDIENTS
pour I portion de salade

1 c. à soupe (15 ml) vinaigre
   ou jus de citron
3 c. à soupe (45 ml) huile
   d'olive
1 c. à thé (5 ml) moutarde
   de Dijon
1 gousse d'ail, écrasée
Sel et poivre, au goût

ÉTAPES

- Mélanger l'ail, le sel, le poivre et la moutarde. Ajouter le vinaigre ou le jus de citron et bien mélanger. Ajouter l'huile cuillère par cuillère en fouettant.

PESTO
au basilic

INGRÉDIENTS

4 c. à soupe (60 ml) pignons de
  pins
3 gousses d'ail, hachées
2 tasses (500 ml) feuilles de
  basilic frais, lavé et essoré
  sans les tiges
4 c. à soupe (60 ml) parmesan,
  râpé
Sel et poivre, au goût
½ tasse (125 ml) huile d'olive

ÉTAPES

- Mettre tous les ingrédients dans le robot
  culinaire, à l'exception de l'huile d'olive. Pulser
  à petits coups pour hacher finement le basilic.
  Ajouter l'huile en filet et pulser jusqu'à ce que
  le mélange soit crémeux. On peut congeler le
  pesto en le déposant dans des bacs à glaçons
  ou l'utiliser tel quel dans une préparation,
  un sandwich, une sauce. Si on prend soin de
  verser un filet d'huile d'olive sur le dessus
  pour empêcher le pesto de brunir au contact
  de l'air, il se conservera pendant 1 mois au
  réfrigérateur.

MAYONNAISE
maison

INGRÉDIENTS

1 jaune d'œuf à température ambiante

1 c. à soupe (15 ml) vinaigre balsamique blanc, vinaigre de vin ou jus de citron

1 c. à thé (5 ml) moutarde de Dijon

1 pincée de sel

½ c. à thé (2,5 ml) poivre noir du moulin

1 tasse (250 ml) huile de canola (colza)

ÉTAPES

- Préparation manuelle : Dans un bol de grandeur moyenne, battre au fouet le jaune d'œuf, le vinaigre, la moutarde de Dijon, le sel et le poivre. Toujours en fouettant, incorporer l'huile goutte à goutte jusqu'à ce que le mélange commence à épaissir. Verser alors l'huile 1 c. à thé (5 ml) à la fois en veillant à ce que cette quantité soit complètement absorbée avant d'en ajouter une autre. Goûter, saler et poivrer. Cette mayonnaise peut être utilisée immédiatement. Sinon, la couvrir et la réfrigérer, elle se conservera de 2 à 3 jours.

- Au mélangeur : Placer tous les ingrédients, à l'exception de l'huile. Faire fonctionner l'appareil jusqu'à ce que le mélange soit homogène. L'appareil étant toujours en marche, verser l'huile goutte à goutte jusqu'à ce que le mélange commence à épaissir puis en un filet fin et ininterrompu jusqu'à ce qu'elle soit entièrement absorbée. Goûter, saler et poivrer.

Si la mayonnaise est trop épaisse, on peut ajouter quelques gouttes d'eau pour l'alléger.

- **Variantes** : Au cari : ajouter 1 c. à soupe (15 ml) cari à la mayonnaise; aux herbes : ajouter 1 c. à soupe (15 ml) de persil, basilic, ciboulette, estragon, cerfeuil; tartare : ajouter 1 c. à soupe (15 ml) câpres, 4 petits cornichons au vinaigre, 1 échalote, 1 c. à soupe (15 ml) de persil, estragon, ciboulette, haché; cocktail : ajouter 1 c. à soupe (15 ml) ketchup, 1 c. à thé (5 ml) sauce Worcestershire, 1 c. à thé (5 ml) cognac, 6 gouttes de Tabasco.

SAUCE
Teriyaki

INGRÉDIENTS

½ tasse (125 ml) mirin
½ tasse (125 ml) sauce
    soja claire
3 c. à soupe (45 ml)
    sucre

ÉTAPES

■ Mélanger les ingrédients dans une casserole. Amener à ébullition en remuant afin que le sucre se dissolve bien. Poursuivre la cuisson 3 ou 4 minutes et retirer du feu. La sauce doit être un peu sirupeuse. Il ne faut surtout pas laisser bouillir le mélange, il se caraméliserait et la sauce durcirait. Laisser refroidir puis mettre au réfrigérateur dans un pot fermé. Si on ne dispose pas de mirin, on peut le remplacer par du saké additionné de sucre.

VINAIGRETTE
César

INGRÉDIENTS

1 œuf

1 c. à soupe (15 ml) moutarde de Dijon

3 c. à soupe (45 ml) vinaigre de vin ou vinaigre balsamique blanc

1 c. à soupe (15 ml) jus de citron

Sel et poivre, au goût

1 échalote sèche ou 1 c. à soupe (15 ml) d'oignon, haché

2 gousses d'ail

¾ tasse (180 ml) huile de canola (colza)

¾ de tasse (180 ml) fromage parmesan, râpé

Quelques filets d'anchois

Croûtons de pain, grillés

1 laitue romaine

ÉTAPES

■ Dans la jarre du mélangeur, mettre tous les ingrédients sauf le fromage et l'huile. Ajouter doucement l'huile en mélangeant. Quand la vinaigrette est montée (le mélange sera onctueux), terminer avec le parmesan. Au service, proposer la laitue romaine bien lavée et essorée, la vinaigrette, les croûtons grillés, les filets d'anchois et du parmesan.

KETCHUP
à la tomate maison

INGRÉDIENTS

1 petite boîte (156 ml) pâte de tomate

½ tasse (125 ml) vinaigre blanc

4 c. à soupe (60 ml) sucre

1 c. à thé (5 ml) poudre d'oignon

1 c. à thé (5 ml) gros sel

1 pincée clou de girofle en poudre

1 pincée piment de la Jamaïque en poudre

ÉTAPES

- Mélanger les ingrédients dans une petite casserole et les porter à ébullition à feu moyen en remuant. Laisser refroidir au réfrigérateur. Donne 1 tasse (250 ml).

DES SURGELÉS

bons pour la santé

Raviolis gratinés en sauce tomate
p. 230

Salade de crevettes *p. 234*

Fruits et légumes

Les fruits et légumes surgelés sont récoltés, lavés, épluchés au besoin, et aussitôt plongés dans des chambres froides. Les légumes et fruits surgelés remplace les légumes et fruits frais, puisque si le processus de surgélation a été respecté, ils gardent toutes leurs vertus et toutes leurs vitamines. Le plus important est de bien faire attention à la composition de ces surgelés : vérifier qu'ils ne contiennent que des légumes et aucun gras.

Repas surgelés

Les repas surgelés envahissent les congélateurs des épiceries. Plusieurs types de mets sont proposés (pâtes, repas de viandes, mets végétariens, etc.) dans des emballages pratiques. Même si les repas surgelés semblent être une solution pratique pour les lunches et certains diners, la valeur nutritive de ces repas laisse à désirer. Voici certains critères qui permettent de faire de meilleurs choix parmi la multitude de produits surgelés offerts ainsi que quelques trucs pour les rendre plus nutritifs.

Trucs à surveiller dans les repas surgelés

✔ Les légumes devraient occuper une plus grande place
✔ Ils devraient contenir moins de 500 mg de sodium et moins de 10 g de gras par portion
✔ Au minimum 1 c. à soupe (15 ml) de protéines par portion (ce qui n'est pas beaucoup).
✔ 200 calories par portion, c'est nettement insuffisant!

Les légumes

Les légumes sont pratiquement absents dans les repas surgelés. Faibles en calories et riches en fibres, ils devraient occuper une grande place parce que les fibres contenues notamment dans les légumes augmentent la satiété, ce qui diminue le risque d'une fringale en après-midi.

Le sodium

Le principal défaut des repas surgelés est leur teneur élevée en sodium qui varie de 300 à 1 200 mg par portion.

Rechercher ceux qui contiennent moins de 500 mg de sodium par portion.

Les protéines

Idéalement, un repas surgelé devrait contenir au moins 1 c. à soupe (15 ml) de protéines et plusieurs repas surgelés ne renferment pas suffisamment de protéines pour soutenir une personne tout un après-midi, comme les repas de pâtes alimentaires et de sauce. Sinon, compléter par un morceau de fromage, des noix ou un yaourt.

Le gras

Bien que les formats des repas surgelés soient généralement petits, certains peuvent parfois cacher de grandes quantités de matières grasses. Choisir ceux qui contiennent moins de 10 g de gras par portion.

Les calories

Un repas complet devrait procurer de 600 à 700 calories, mais certains repas minceur fournissent moins de 200 calories par emballage, ce qui est insuffisant. Dans la plupart des cas, on complète son dîner en ajoutant d'autres aliments dans la boîte à lunch.

Les 4 groupes alimentaires

Si le repas surgelé ne contient pas le nombre adéquat de portions des 4 groupes alimentaires, on veille à le compléter avec des aliments des groupes qui s'y retrouvent en quantité insuffisante. Par exemple, on peut ajouter une tranche de pain à grains entiers, un produit laitier, des crudités ou un fruit.

Les fibres

Les repas surgelés à base de légumineuses ou de protéines de soja sont riches en fibres et fournissent suffisamment de protéines, mais une bonne dose de sodium peut cependant s'y cacher.

LES MUSTS DES SURGELÉS

Wontons

Les wontons sont très faciles à préparer avec ces feuilles de pâte à base de farine, d'eau et d'œufs. L'idéal est de laisser la pâte décongeler au réfrigérateur pendant quelques heures et de la couvrir d'un linge humide pour l'empêcher de sécher avant de la farcir.

Pierogi et autres pâtes farcies

Les pierogi, une spécialité polonaise, sont de petits chaussons de pâte en forme de demi-lune. Ils peuvent être farcis de pommes de terre, de viande, de champignons, de chou ou de fromage. Faciles à préparer (au four traditionnel, à la poêle ou aux micro-ondes), ce sont de bons dépanneurs. Les pâtes farcies les plus usuelles réfèrent à la cuisine italienne et sont les cannellonis et les raviolis ou encore les manicottis qu'on trouve garnies fromage, d'épinards ou de viande, et qui en sauce tomate, constituent un repas en moins de deux.

Fèves de soja fraîches et surgelées

On les vend généralement nature, sans sel ni additifs. Quelques minutes à l'eau bouillante ou au micro-ondes, sans les décongeler au préalable, et elles sont prêtes! L'avantage, c'est qu'on peut en avoir sous la main en tout temps, qu'on prend la quantité dont on a besoin et qu'elles sont toujours de première qualité.

Pâte feuilletée phyllo

Faite de farine, d'eau et d'un peu d'huile, sous forme de grandes feuilles minces comme du papier de soie qui, une fois cuite, donne une pâte dorée, fine, croustillante et moins riche que les pâtes brisée ou feuilletée traditionnelles. Parfaite pour confectionner des barquettes, des bouchées farcies, des chaussons tant sucrés que salés (de type samosas ou spanakopitas), des rouleaux de printemps, des bâtonnets à grignoter, des strudels ou encore des pâtés vite faits.

Petits pois, maïs, épinards et autres légumes

Comme ils sont cueillis à pleine maturité et surgelés dans les heures suivantes, leur valeur nutritive est excellente et souvent même supérieure à celle des produits frais, surtout en hiver, où ils sont aussi moins chers! Avec eux, aucun gaspillage : on n'utilise que la quantité nécessaire, et la portion restante se conserve plusieurs mois dans le sac original. Déjà coupés, lavés, souvent même mélangés, ils passent du sac (ne pas les décongeler) au micro-ondes puis à l'assiette. Préférer les variétés nature, sans beurre ou sel ajouté.

Fraises, mangues et autres fruits en morceaux

Ils offrent un bon rapport qualité prix (ils sont régulièrement en solde!) et se gardent plus longtemps que les petits fruits frais importés hors saison, qui perdent leurs précieuses vitamines tout au long du transport et de l'entreposage. Ils arrivent lavés et surgelés individuellement, sans agents de conservation, dans un pratique sachet ou contenant de plastique refermable. Préférer les versions sans sucre ajouté.

Filets et petits poissons entiers

Tilapia, morue, sole, aiglefin, goberge et saumon, éperlans, sardines et maquereaux, etc. Côté nutrition, ils n'ont rien à envier aux produits frais. On les assaisonne simplement de jus de citron, poivre et fines herbes ou de pesto vert ou rouge. Au four ou au micro-ondes, sans même les décongeler (la chair sera même plus juteuse ainsi).

Fruits de mer et substituts

Il y a les crevettes, le crabe, le calmar, les pétoncles et le homard, frais ou cuits, surgelés individuellement. Pour moins cher et pratiquement pas de gras ni de cholestérol, il y a aussi les produits de goberge ou de merlan à saveur de crabe ou de homard. Déjà parés, cuits et râpés ou coupés en flocons ou en bâtonnets, ces protéines maigres naturellement pourvues de bons Oméga-3, ils se mangent en salade, à l'heure du lunch.

Herbes fraîches

Elles ajoutent de la saveur sans gras ni sel. À défaut d'avoir un potager à la maison, les flocons ou les petits cubes de persil, de coriandre, de basilic, d'aneth et autres fines herbes surgelés offrent une solution pratique. Pas de gaspillage, on ne prélève que la quantité nécessaire. À noter : la liste des ingrédients sur l'étiquette indique souvent l'ajout d'huile aux herbes et parfois aussi d'amidon, de dextrose ou de sel. Les quantités sont si faibles qu'elles n'influencent pas vraiment leur valeur nutritive.

Boulettes de viande cuites

Pratiques, ces petites boulettes de bœuf ou de poulet, déjà assaisonnées et cuites. Il ne reste qu'à en sortir le nombre nécessaire (sans les décongeler) pour les incorporer à une soupe, un mijoté, une sauce pour pâtes ou une casserole de riz. Préférer les versions allégées qui affichent au plus 5 g de gras saturés et 500 mg de sodium par portion de 85 g (environ 6 boulettes).

Viandes pour fondue chinoise

Des viandes maigres de choix nutritives finement tranchées pour des repas santé vite préparés. Décongelées ou non, elles sont prêtes à plonger dans le bouillon pour une fondue chinoise ou une soupe-repas ou dans le poêlon pour un sauté. Parfaites comme solution de rechange aux charcuteries dans les sandwichs et sur les pizzas.

Note

Il est préférable de décongeler le poisson surgelé lorsqu'on veut le mariner, le paner ou le frire.

BON À SAVOIR

Éviter les produits dont l'emballage est décoloré, déchiré ou givré ou dont le contenu (fruits, légumes, boulettes, fruits de mer et autres aliments surgelés individuellement) est pris en pain. Le produit peut avoir été soumis à des fluctuations de température et avoir perdu de sa qualité.

Décongeler les aliments au réfrigérateur plutôt qu'à la température ambiante. Si le temps presse, utiliser la touche *Defrost* du four à micro-ondes ou laisser l'aliment tremper dans l'eau froide en la renouvelant souvent de façon qu'elle reste bien froide.

La plupart des produits surgelés (viandes, fruits, légumes, pâtes et autres) se cuisent directement sans les décongeler préalablement. Cela permet de préserver leur valeur nutritive, saveur et texture tout en accélérant la préparation du repas.

Ne jamais recongeler un aliment décongelé, à moins qu'il n'ait été cuit au préalable. Cela affecte sa texture et sa valeur nutritive en plus d'augmenter les risques de contamination bactérienne.

SOUPE
Wonton

INGRÉDIENTS

12 tasses (3 l) bouillon de poulet
1 paquet (300 g) pâtes Wonton
1 c. à soupe (15 ml de sel pour l'eau
1 lb (450 g) porc, haché
1 œuf
2 c. à thé (10 ml) sauce soja
1 c. à thé (5 ml) sel
1 c. à thé (5 ml) sucre
Poivre
Oignons verts pour la garniture
1 œuf battu pour coller les Wonton

ÉTAPES

- Dans une casserole, chauffer le bouillon de poulet. Ne pas le faire bouillir : il doit simplement être fumant au moment de s'en servir. Dans un bol, mélanger le porc, l'œuf, la sauce soja, 1 c. à thé (5 ml) de sel et autant de sucre et le poivre et réserver la farce. Dans un petit bol, battre l'œuf et le réserver. Porter une casserole d'eau à ébullition en y ajoutant 1 c. à soupe (15 ml) de sel.

- Verser 1 c. à thé (5 ml) d'eau salée sur les pâtes Wonton avant de les farcir. Enduire les bords de la pâte avec l'œuf battu et les coller pour former un triangle et emprisonner ainsi la garniture. Enduire les bouts de la pâte avec l'œuf battu. Préparer ainsi les Wonton jusqu'à épuisement des ingrédients. Cuire les pâtes dans l'eau salée, qui remontent à la surface lorsque cuites. Transférer les Wonton dans le bouillon de poulet fumant à l'aide d'une écumoire et laisser mijoter 15 minutes. Garnir avec les oignons verts, tranchés en biseau.

RAVIOLIS
gratinés en sauce tomate

INGRÉDIENTS

2 c. à soupe (30 ml) huile d'olive

2 oignons, hachés

2 c. à soupe (30 ml) ail, haché

1 boîte (796 ml) tomates, mixées

½ tasse (125 ml) bouillon de poulet

1 c. à soupe (15 ml) basilic, haché ou pesto

Sel et poivre, au goût (à la fin de la cuisson)

1 paquet (700 g) raviolis surgelés farcis au fromage ou au veau

½ tasse (125 ml) fromage à gratiner

ÉTAPES

- Dans une casserole, chauffer l'huile à feu moyen. Dorer les oignons. Ajouter l'ail et cuire 1 à 2 minutes (éviter de faire brûler l'ail). Incorporer les tomates réduites en purée, le bouillon de poulet et l'assaisonnement. Laisser mijoter 20 minutes sans couvrir pour faire réduire la sauce. Ajouter le basilic. Cuire les pâtes *al dente* dans l'eau bouillante salée. Égoutter et mélanger à la sauce. Parsemer de fromage et gratiner quelques minutes.

CRÈME
de maïs

INGRÉDIENTS

1 c. à soupe (15 ml) huile d'olive
1 petit oignon émincé
¼ de tasse (60 ml) poivron vert, haché fin
2 pommes de terre moyennes, cuites et coupées en dés
1 ½ tasse (375 ml) maïs en grains surgelé
½ tasse (125 ml) bouillon de poulet
1 c. à thé (5 ml) basilic
1 c. à thé (5 ml) sel de céleri
1 c. à thé (5 ml) poudre d'ail
Sel et poivre
1 tasse (250 ml) lait
Crème fleurette et persil frais pour décorer

ÉTAPES

- Dans une casserole, chauffer l'huile d'olive et faire suer les oignons et le poivron haché puis ajouter le bouillon de poulet, les pommes de terre cuites en cubes et le maïs en grains. Ajouter le basilic, le sel de céleri et la poudre d'ail. Amener à ébullition et laisser mijoter 10 minutes à feu doux. Ajouter le lait et amener doucement à ébullition en remuant jusqu'à épaississement. Saler, poivrer, rectifier l'assaisonnement au goût. Verser dans le bol du mélangeur et pulser jusqu'à l'obtention d'une crème. Verser dans des bols à soupe et garnir de 1 c. à soupe (15 ml) de crème fraîche et de persil, servir immédiatement.

SALSA
aux pêches

INGRÉDIENTS

2 tasses (500 ml) pêches décongelées,
   coupées en petits dés
½ poivron rouge, coupé en petits dés
1 oignon vert, tranché
2 c. à soupe (30 ml) persil ou coriandre,
   haché
1 piment jalapeño, haché finement,
   (facultatif)
Sel, au goût

ÉTAPES

- Combiner tous les ingrédients dans un bol moyen. Réfrigérer au moins 1 heure afin de permettre le mariage des saveurs. Servir comme garniture sur la viande grillée ou le poisson ou en salade comme accompagnement.

SALADE
de crevettes

INGRÉDIENTS

12 grosses crevettes décortiquées surgelées
Le zeste d'une lime, en fines lanières
½ piment jalapeño, haché finement
3 c. à soupe (45ml) huile d'olive
1 mangue mûre, en fins bâtonnets
1 carotte, coupée en deux et tranchée en fines lamelles
1 petit concombre libanais, tranché en fins bâtonnets
1 petit oignon, tranché en fins bâtonnets
Sel et poivre
Quelques feuilles de laitue
2 c. à soupe (30 ml) cacahuètes, grillées grossièrement hachées
Brins de persil ou coriandre, pour décorer

VINAIGRETTE

1 grosse gousse d'ail, hachée finement
1 c. à soupe (15 ml) sucre
Le jus d'une lime
3 c. à soupe (45 ml) sauce de poisson
1 c. à soupe (15 ml) vinaigre de riz
1 c. à soupe (15 ml) huile d'olive

ÉCHALOTES CROUSTILLANTES

4 grosses échalotes, émincées, défaites en anneaux
4 c. à soupe (60 ml) huile d'olive

ÉTAPES

- Dans un bol mélanger les crevettes, le zeste de lime, le piment jalapeño et l'huile d'olive et laisser mariner 30 minutes à la température de la pièce.
- Préparer la vinaigrette en mélangeant tous les ingrédients et réserver.
- Mélanger la mangue, les carottes, le concombre, l'oignon, le sel, le poivre et la moitié de la vinaigrette et réserver.
- Cuire les crevettes dans un poêlon antiadhésif et réserver.
- Dans un poêlon, chauffer l'huile, ajouter les échalotes et cuire jusqu'à ce qu'elles soient croustillantes. Éponger sur un linge et réserver.
- Pour l'assemblage des salades, déposer des feuilles de laitue dans des assiettes individuelles, répartir le mélange de légumes et de mangues, ajouter les crevettes, les échalotes et les cacahuètes, arroser du reste de vinaigrette et saupoudrer d'un peu de persil ou de coriandre.

DES CHOIX ÉCLAIRÉS
au comptoir des produits laitiers

Gratin dauphinois *p. 244*

Agneau korma *p. 248*

Plus nous consommons de portions de produits laitiers maigres, plus la qualité nutritionnelle de notre alimentation y gagne. Entier, demi-écrémé, écrémé : seul le taux de matière grasse et la teneur en vitamines liposolubles[1] sont modifiés. Les autres composantes nutritionnelles sont strictement identiques. L'écrémage ne modifie pas la teneur en calcium, ni la teneur en protéines. Les laits demi écrémés ou écrémés sont aussi riches en calcium et protéines que les laits entiers.

LE SAVIEZ-VOUS ? Le lait et le yaourt sont dits maigres lorsque leur contenu en matières grasses ne dépasse pas 2 %. Pour les fromages, ce seuil se situe à 10 %. Les professionnels de la santé recommandent aux adultes de prendre quotidiennement de deux à quatre portions de produits laitiers.

1. Il existe 2 types de vitamines. Celles qui sont solubles dans l'eau (hydrosolubles) et celles qui sont solubles dans les graisses (liposolubles). Les vitamines liposolubles peuvent être stockées par l'organisme. Il s'agit des vitamines A, D, E et K. Les vitamines hydrosolubles doivent être apportées en permanence à l'organisme ; les plus importantes sont la vitamine C et les vitamines du groupe B.

Les principales sources de calcium sont les produits laitiers. Les besoins quotidiens en calcium sont de :

✔ 1 300 mg pour les enfants de 9 à 18 ans ;
✔ 1 000 mg pour les adultes de 19 à 50 ans ;
✔ 1 200 mg pour les personnes âgées de plus de 50 ans.

Les produits laitiers fournissent jusqu'à 16 éléments nutritifs essentiels à l'équilibre alimentaire et au maintien d'une bonne santé : protéines, vitamine A, vitamine B_{12}, vitamine B_6, riboflavine, niacine, thiamine, acide pantothénique, folate, vitamine D, calcium, magnésium, phosphore, potassium, zinc, sélénium.

Excellentes sources de calcium parce qu'il s'y retrouve en grande quantité et est bien absorbé par l'organisme, tandis que la vitamine D est nécessaire pour aider notre organisme à absorber le calcium des aliments. La vitamine D joue un rôle important dans le maintien d'os en santé et pourrait aussi contribuer à la prévention du cancer du côlon, de la sclérose en plaques, de l'arthrite rhumatoïde et du diabète de type 1.

Les laits entiers

Ils contiennent 35 g de matière grasse au litre et sont faciles à repérer dans les rayons car ils sont à dominante rouge. Le lait entier est celui qui révèle le plus d'arômes, car ceux-ci sont apportés par la crème.

Les laits demi-écrémés

Ils sont dosés à 15 g de matière grasse au litre, et sont repérables à leur couleur bleue.

Les laits écrémés

On repère ces laits à la couleur verte des emballages. Quelle que soit la technique de conservation, ce sont les laits qui ont le moins de goût, ils sont aussi plus translucides que les laits entiers.

Lait en poudre

On le trouve entier ou écrémé. Il se conserve un an, emballage fermé, dans un lieu sec et frais. Pour fabriquer la poudre, on pulvérise le lait dans une enceinte parcourue par un grand courant d'air très chaud, l'évaporation de l'eau est instantanée, la poudre de lait est recueillie en bas de la tour de séchage.

Le lait concentré

C'est un lait dont environ 60 % de l'eau a été évaporée sous vide. Le lait concentré contient au moins 7,5 % de matières grasses. Il a une coloration plus foncée que le lait ordinaire et un arôme de caramel. On le trouve entier, demi-écrémé ou écrémé, peut être sucré et aromatisé. Il se conserve, avant ouverture, plusieurs mois à température ambiante.

Les laits supplémentés ou enrichis

Ce sont des laits enrichis en vitamines (A, E, B, D), calcium, zinc, magnésium, fer, Oméga-3, oligo-éléments et fibres qui répondent aux besoins nutritionnels spécifiques des personnes âgées, enfants, femmes enceintes.

Les laits de longue conservation

Lait qui a été pasteurisé à une ultra-haute température (d'où le sigle U.H.T.) puis refroidi à la température ambiante, ensuite emballé dans des conditions très aseptiques. Sous emballage, il se conserve à la température de la pièce

jusqu'à 3 mois; une fois ouvert, à consommer rapidement. Il peut être entier, partiellement écrémé ou écrémé.

Boisson de soja

Boisson produite à base de graines de soja et d'eau. Semblable au lait de vache et de composition proche sur plusieurs points, elle est aussi appelé «lait de soja» dans et souvent utilisé comme substitut au lait de vache dans l'alimentation et la cuisine, en particulier végétariennes. Aliment riche en valeur nutritive, en oligoéléments, en vitamines et en minéraux, la boisson de soja enrichi de calcium peut contribuer à satisfaire vos besoins quotidiens en calcium.

Les yaourts

Il existe deux grandes variétés de yaourt : ceux qui contiennent des bactéries traditionnelles et ceux qui contiennent des probiotiques. Les yaourts sont fabriqués traditionnellement avec deux ferments lactiques, (Streptoccocus termophilus et Lactobacillus bulgaricus). Les bactéries probiotiques auraient plusieurs effets bénéfiques sur la santé. Dans certains cas, les bactéries peuvent augmenter notre système de défense immunitaire, elles peuvent aussi, d'après certaines évidences scientifiques, réduire le taux de cholestérol sanguin. Pour que les probiotiques soient efficaces, il faut en consommer plusieurs millions par gramme. Les yaourts vendus en épicerie

en contiennent une quantité suffisante. Les yaourts enrichis de vitamine D contenant des probiotiques sont ceux qui sont les plus avantageux.

Le yaourt aide à combler nos besoins en calcium et autres nutriments essentiels.

Les yaourts aux fruits et aromatisés comprennent généralement moins de calcium et plus de sucre que le yaourt nature, qui lui renferme une teneur équivalente au lait. Aussi, le contenu en vitamine D des yaourts varie d'un produit à l'autre, car ils ne sont pas tous faits à partir de lait enrichi en vitamine D.

BON À SAVOIR

Prioriser les yaourts contenant la vitamine D car elle aide le calcium à faire son travail pour la croissance des os.

Choisir un yaourt sans aucun additif, nature, et acheter un pot de 500 g pour diminuer les déchets et agir de manière responsable. Lire les étiquettes et la liste des ingrédients pour faire un choix éclairé.

TRUCS POUR CONSOMMER DES PRODUITS LAITIERS

- Préparer des portions de 1 ½ oz (40 g) de fromage à emporter et à déguster avec des fruits ou des crudités.

- Mettre deux contenants de yaourt dans la boîte à lunch : un pour la collation et l'autre pour le lunch.

- Agrémenter le yaourt nature de cannelle, de compote de pommes, de sirop d'érable, de raisins secs ou de fruits frais.

- Boire 1 tasse (250 ml) de lait chaud aromatisée de miel ou de cannelle.

- Tremper des fruits frais dans du yaourt puis saupoudrer chaque bouchée de cassonade ou de noix de coco.

- Pour préparer un goûter simplement délicieux, garnir de yaourt nature ou à la vanille des garnitures suivantes : cannelle, compote de pommes, sirop d'érable, raisins secs, muesli ou encore : bananes, mûres, fraises, framboises ou bleuets frais, mangue, pêche, nectarine, tous les fruits qui vous tombent sous la main !

- Quelques heures avant les repas, opter pour un coupe-faim protéiné tel que du yaourt, du lait ou du fromage pour apprivoiser la faim.

- Le lait demi-écrémé apporte autant de calcium que le lait entier. Le fromage blanc, les yaourts nature, ainsi que les fromages les moins gras, comme les fromages frais, les fromages à pâte dure, les croûtes fleuries ou persillées sont autant de manières d'apprécier les produits laitiers.

- Le yaourt peut être utile pour cuisiner léger ou pour une sauce salade en remplacement des matières grasses comme la crème.

- On peut ajouter du fromage à nos plats préférés : emmental râpé, gruyère ou parmesan dans les gratins, les purées, les plats de pâtes ou de riz, dés de fromage de chèvre ou de mozzarella dans les crudités.

- Les laits fouettés et les smoothies sont une bonne idée, pour les déjeuners express ou pour les goûters : il suffit de mixer ensemble du lait et des fruits.

TARTINES
de fromage de chèvre

INGRÉDIENTS

1 baguette de pain au choix
(pain de campagne,
baguette de blé entier, etc.)

1 bûchette fromage de
chèvre

2 c. à soupe (30 ml) miel

3 c. à soupe (45 ml)
cerneaux denoix

ÉTAPES

- Préchauffer le four à 350 °F (180 °C). Couper la baguette en tranches moyennes. Couper la bûchette en tranches égales. Ajouter du miel sur chacune des tranches en formant un zigzag. Ajouter les cerneaux de noix. Mettre les tranches sur une plaque à biscuits recouverte d'un papier sulfurisé. Cuire 5 minutes pour que le fromage soit fondu. Griller 1 à 2 minutes pour dorer un peu.

- On peut varier la recette en remplaçant le chèvre par un autre fromage tel qu'un camembert, St- Paulin, St-André, Caprice des dieux, etc.

243

GRATIN
dauphinois

INGRÉDIENTS

1 gousse d'ail, coupée en deux
1 c. à soupe (15 ml) beurre
5 grosses pommes de terre
   (1 pomme de terre par
   personne)
Sel et poivre
1 ½ tasse (375 ml) fromage
   gruyère, râpé
1 tasse (250 ml) crème épaisse
1 tasse (250 ml) lait entier
1 pincée muscade

ÉTAPES

- Préchauffer le four à 350 °F (180 °C). Frotter un plat à gratin ovale d'une capacité de 6 tasses (1,5 l) avec les demi-gousses d'ail. Beurrer le moule. Peler puis émincer les pommes de terre à la mandoline afin qu'elles soient tranchées égales et les laisser tremper dans l'eau froide pendant 5 minutes puis les égoutter et les éponger. Disposer le tiers des pommes de terre dans le plat en les faisant se chevaucher. Saler et poivrer. Parsemer du tiers du gruyère râpé (125 ml). Refaire les mêmes opérations et terminer avec une couche de pommes de terre. Mélanger la crème et le lait. Verser sur les pommes de terre. Saler et poivrer à nouveau. Parsemer du reste de fromage râpé (250 ml). Saupoudrer de la muscade. Cuire au four préchauffé à 350 °F (180 °C) 30 minutes, couvert d'une feuille en papier aluminium. Cuire ensuite à découvert pendant 20 minutes jusqu'à ce que les pommes de terre soient tendres et le dessus croustillant et doré. Laisser reposer 5 minutes.

RISOTTO
au provolone

INGRÉDIENTS

1 c. à soupe (15 ml) moutarde à l'ancienne

2 c. à soupe (30 ml) beurre

Sel et poivre du moulin, au goût

2 c. à soupe (30 ml) beurre

1 c. à soupe (15 ml) huile

2 gousses d'ail, hachées

2 tasses (500 ml) tomates cerises

1 oignon, haché

1 tasse (250 ml) riz Arborio

½ tasse (125 ml) vin blanc

2 ½ tasses (625 ml) bouillon de poulet

1 feuille de laurier

1 c. à soupe (15 ml) thym frais ou séché

Sel et poivre du moulin, au goût

1 tasse (250 ml) brocoli

¾ tasse (180 ml) provolone, râpé

ÉTAPES

- Dans une casserole, fondre la moitié du beurre à feu moyen-vif et faire revenir l'ail avec les tomates cerises 3 à 4 minutes. Transférer dans un plat allant au four et conserver au four à 300 °F (150 °C). Dans une autre casserole, chauffer le bouillon de poulet et laisser mijoter durant la préparation du risotto.

- Dans la première casserole, à feu moyen, faire revenir l'oignon 5 minutes dans le reste du beurre. Ajouter le riz et remuer pour enrober les grains de beurre.

- Verser le vin et une petite quantité de bouillon. Ajouter les herbes et l'assaisonnement. Poursuivre la cuisson 15 à 20 minutes en versant de petites quantités de liquide aux 3 à 4 minutes de manière à ce que le riz l'absorbe. Ajouter le brocoli à mi-cuisson. Le riz devrait demeurer légèrement ferme, mais doit absorber tout le liquide. Retirer la feuille de laurier. Ajouter le provolone. Bien remuer, fondre le fromage et ajuster l'assaisonnement avant de garnir des tomates cerises.

LASSI
à la mangue

INGRÉDIENTS

2 tasses (500 ml) yaourt à la grecque
0 % de matière grasse
⅔ tasse (170 ml) pulpe de mangues
    surgelées
2 c. à soupe (30 ml) sucre
Amandes et pistaches pour décorer
Quelques glaçons (si votre mélangeur
peut les broyer)

ÉTAPES

■ Mélanger le tout et déguster aussitôt !
Le lassi se boit glacé.

■ **Note :** Le lassi est la boisson
traditionnelle indienne à base de
yaourt. Il existe en plusieurs versions
et peut se consommer sucré ou salé.

AGNEAU
korma

INGRÉDIENTS

½ c. à thé (2,5 ml) piment de Cayenne

1 bâton de cannelle, cassé en morceaux

8 capsules de cardamome verte

4 clous de girofle

2 c. à soupe (30 ml) graines de pavot blancs (facultatif)

1 c. à soupe (15 ml) graines de coriandre

1 c. à thé (5 ml) graines de cumin

1 c. à thé (5 ml) grains de poivre

¼ tasse (60 ml) noix de cajou ou amandes non salées et non rôties

1 morceau gingembre de 1 po (2,5 cm), pelé

3 gousses d'ail, pelées

1 tasse (250 ml) eau

AGNEAU

1 pincée de safran

2 c. à soupe (30 ml) eau chaude

6 c. à soupe (90 ml) beurre clarifié (ghee) ou huile végétale et beurre à parts égales

2 oignons moyens, émincés

½ tasse (125 ml) yaourt nature

1 ¾ lb (875 g) agneau dans l'épaule ou dans le gigot, en cubes

2 c. à thé (10 ml) sel

½ tasse (125 ml) crème fleurette

1 c. à soupe (15 ml) jus de citron frais

2 c. à soupe (30 ml) feuilles de coriandre, fraîche hachée finement

ÉTAPES

■ Au mélangeur moudre la cannelle, la cardamome, le clou de girofle, les graines de pavot, les graines de coriandre et de cumin et le poivre. Réserver dans un petit bol. Réduire ensuite en purée les noix de cajou, le gingembre, l'ail et l'eau. Ajouter le mélange d'épices, continuer de réduire en purée jusqu'à consistance crémeuse et réserver. Infuser ensuite le safran environ 10 minutes dans 2 c. à soupe (30 ml) d'eau bouillante.

■ Dans une casserole, chauffer le beurre clarifié ou l'huile et faire dorer doucement l'oignon environ 10 minutes. Ajouter le masala (mélange épicé) et poursuivre la cuisson 2 minutes. Ajouter le yaourt, cuire encore 2 à 5 minutes. Ajouter le safran infusé et l'agneau. Réduire la chaleur, mijoter à couvert 45 à 60 minutes (gigot), de 75 à 90 minutes (épaule) en remuant 2 ou 3 fois. Saler à mi-cuisson. En fin de cuisson, ajouter la crème et mijoter encore 10 minutes jusqu'à ce que l'agneau soit tendre. Ajouter le jus de citron et bien mélanger.

■ Servir le korma sur du riz basmati, décorer de coriandre ciselée.

TRUCS INFAILLIBLES
pour économiser à l'épicerie
et rester en bonne santé!

- Acheter les fruits et légumes en saison.

- Vérifier le prix à la livre ou au kilo-gramme pour comparer le coût de la viande en format familial plutôt qu'en petit format.

- Les aliments surgelés et en conserve ont la même valeur nutritive que les fruits et légumes frais. Comme les légumes en conserve contiennent plus de sel, on doit les passer à l'eau avant de les utiliser.

- Les légumes surgelés en sacs sont moins chers que ceux qui sont en conserve.

- Acheter les fruits en conserve dans leur propre jus sans sucre ajouté.

- Les pois, le maïs, les haricots verts, les mélanges de légumes et les épinards sont les meilleurs achats parmi les produits surgelés. Ils sont tous approximativement du même prix.

- Comparer les prix de chaque produit pour trouver le meilleur achat. Vous procurer ceux qui vous donnent le plus de portions. Cela vaut pour les produits alimentaires autant que pour les produits de nettoyage, de lavage, etc.

- Acheter des viandes, de la volaille et du poisson qui ne sont pas panés, assaisonnés, marinés ou aromatisés.

- Utiliser le prix à l'unité (qui est indiqué sur la tablette) pour comparer les prix des aliments en conserve et emballés.

- Choisir des contenants plus gros pour la nourriture (le yaourt, lait, céréales) et des fruits (pommes, oranges) préemballés plutôt que les aliments individuels.

- Choisir les meilleurs poissons : thon à chair pâle en conserve, saumon en conserve et sardines.

- Vérifier la date « meilleur avant » sur le lait, les œufs et le pain pour acheter les choses qui sont les plus fraîches possibles.

- Choisir les jus concentrés à 100 % surgelés plutôt que les jus dans les cartons.

- Acheter du lait en poudre pour les recettes (muffins, œufs brouillés) plutôt que du lait régulier.

- Trancher ou râper soi-même son fromage, c'est plus économique.

- Il est préférable d'ajouter ses propres fruits au yaourt nature plutôt que d'acheter les yaourts sucrés.

- Acheter le pain en solde ou fait la veille qu'on peut surgeler jusqu'à 6 semaines. On peut s'en servir pour le pouding au pain ou le pain doré, ou encore dans un moule à muffins pour faire des croûtes de mini-quiches.

- Les pâtes telles que les spaghettis, les nouilles au riz et les macaronis sont souvent en solde et se conservent bien dans les endroits secs.

- Les céréales chaudes auxquelles on ajoute des morceaux de fruits constituent un bon achat.

- Achetez les céréales qui ne contiennent pas de sucre, car elles sont moins chères.

- Il est en général plus économique de préparer un mets que de l'acheter tout prêt, d'autant plus que les repas préparés industriellement sont généralement plus gras et plus salés. À moins que ces derniers ne soient vraiment santé et qu'ils soient en promotion, il vaut mieux s'abstenir d'en acheter.

- Choisir des céréales de grains entiers non sucrées (gruau en vrac, céréales en forme de O) avec 4 g ou plus de fibres par portion.

- Acheter plus d'articles en solde à conserver sans problème pendant un bon bout de temps (riz brun, légumineuses, etc.).

- Acheter des produits au nom du magasin au lieu de produits de marque. On économise beaucoup d'argent, particulièrement lorsqu'il s'agit de produits d'entretien, papier hygiénique, conserves.

- Les coupons et les prospectus pour les promotions hebdomadaires peuvent aider à réduire sensiblement le coût des achats. On les trouve dans les journaux locaux mais aussi dans les magazines alimentaires spécialisés, postés à la maison ou encore sur les sites Internet.

- On peut faire de bonnes économies en vérifiant le comptoir des produits de la journée précédente et les soldes.

S'assurer d'utiliser ces produits rapidement pour éviter qu'ils se gâtent.

- Les aliments moins chers se trouvent sur les étagères du haut et du bas dans les épiceries. Ils ne sont pas toujours faciles à repérer.

- À la caisse, être vigilant : le commerçant doit adopter et afficher une politique d'exactitude des prix qui offre un dédommagement en cas d'erreur défavorable au consommateur.

SAVOIR LIRE LES ÉTIQUETTES

L'information sur les étiquettes des produits alimentaires aide à avoir une saine alimentation. Le tableau de la valeur nutritive, la liste des ingrédients et les allégations relatives à la teneur en éléments nutritifs sont trois renseignements importants figurant sur l'étiquette de la plupart des aliments emballés.

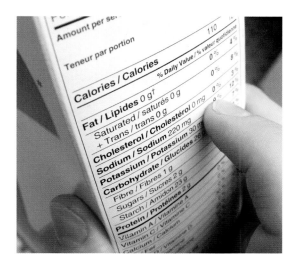

INDEX DES RECETTES